Onion Leadership

オニオン・リーダーシップ

ハーバード・ビジネス・スクールの最前線

中谷英峰
Eiho Nakatani

中央公論新社

はじめに

あなたはこれまで何冊、リーダーシップの本を読みましたか？残念なことに、あなたがいくらリーダーシップを勉強したとしても、あなたはあなた本来の姿でリーダーシップを発揮するリーダーにはなれないでしょう。そればかりか、リーダーシップについて学べば学ぶほどリーダーシップを発揮する妨げになり、致命傷になることさえあるのです。

もしあなたがスティーブ・ジョブズ氏のリーダーシップに憧れていたとします。彼の本を読み、そこから得た知識を使って自分の会社や組織でリーダーシップを発揮しようとしても、うまくいかないと感じるでしょう。私もこれまでリーダーシップを勉強し、あの人はこのようにやっていたとか、この状況はあのケースにとてもよく似ているとか、同じようにやってみようと、何度も試してはみたのですが、ほとんどが失敗に終わりました。私はよく経営者の方にお話をうかがうのですが、普段から熱心にリーダーシップを勉強されているにもかかわらず、十分にリーダーシップを発揮できているという方は驚くほど少ないのです。

それではリーダーシップを学ぶとはどういうことなのでしょう。

まず、「リーダーシップは知識の習得では身につかない」ということを知る必要があります。これにはリーダーシップに特有な、その体得の方法が関係しています。この方法を実践してリーダーシップを体得しない限り、本物のリーダーシップは永遠にあなたのものにならないでしょう。

テニス・プレイヤーにたとえてみましょう。プレイヤーを考察するには２つの方法があります。１つ目はスタンドから観察すること。腕の振り方が良いとか、今日は冷静だとか、プレイについてスタンドから語る実況者の立場です。

もう１つは、プレイヤーと同じコートの上に立つこと。コートに足を踏み入れ、相手から繰り出される剛速球を自らのラケットで打ち返してみることです。

リーダーシップというものは、この自分でコートの上に立つ経験からしか体得できません。スタンドからプレイヤーを観察して書かれた解説書を読んで、あるリーダーがどの状況でどのような行動をしたということを学んでも、あなたのリーダーシップの体得にはほぼ役に立ちません。

それでは、プレイヤー自身が書いた本、つまり経営者の自伝はどうでしょうか？　私はこれまで膨大な数の経営者の自伝を読んできました。しかし、これもまた彼らの視点から見た彼らの姿であり、リーダーシップを発揮していたその場で、彼らが実際どのような存在であったのかは、想像するしかありません。

彼らが、その時、その場で発揮していたリーダーシップは、彼らの決断や行動、語られた言葉だけでは表現しきれない、「彼らの存在」そのものに多くを負っています。ですから、彼らが大事にしている考え方やモットーを学び、どのような思考で言動にたどり着いたのかを知ったとしても、自分が実際同じような状況に陥った場合、同じことができるとは限らないのです。あなたはどう逆立ちしても、「彼らの存在」にはなれないのです。

これが、リーダーシップを学んでも私たちのリーダーシップが一向に変わらない根本的な理由です。

私は2017年に、ハーバード・ビジネススクールの最上級コースであるAdvanced Management Program（AMP）に参加する機会を得ました。そこには世界40か国から160名のエグゼクティブが集まっていました。今まさに世界を動かしているリーダーたちが寝食を共にしながら、膝を突き合わせてリーダーシップを学びました。これは言うなれば、世界のトッププレイヤーと一緒にテニスコートでボールを打つような経験でした。自分の隣の見事なラケット捌《さば》きを見て、自分自身のリーダーシップを探求しました。

ハーバードでリーダーシップを学び、たどり着いたのは、リーダーシップは知識を学ぶものではなく、「リーダーとしての存《あ》り方」を体得するものということでした。それは子供が自転車の練習をするように、何度も転んでバランス感覚を見つけていくようなものです。そして、このリーダーシップという自転車に乗るためには、あの人はこうやったとか、本にこう書いてあったではなく、自らペダルに足を乗せて自分で自転車をこいでみるしかないのです。

ですから、リーダーシップを体得するには、リーダーシップを発揮する場所が必要ですし、何度もチャレンジして、そこから学びを得、自分自身のリーダーシップを見出していくことが大切です。

しかし、それではいささか時間がかかりすぎます。私は、本書を読んだすべての人が「なるほど！　そうだったのか」と、リーダーシップを理解し、それが発揮できるようになることを目指しています。

みんなが知っていて容易に想像することができ（ご近所のスーパーで買うこともできます)、読んだ後もしっかりと心に残ることを念頭に、本書ではリーダーをオニオン（タマネギ）にたとえます。あなたというオニオンの皮を一枚ずつむいて、今度こそ自分を本物のリーダーに変革しましょう。

〈本書のポイント〉

- リーダーシップに必要な要素を網羅しています。
- リーダーシップを体得できるよう、学びを実践するための演習が付いています。
- 具体的なイメージを得られるよう、多くの経営者の言葉を挙げています。

この一冊の本の旅を終えれば、あなたは「あなた自身のリーダーシップ」についてイメージできるようになるでしょう。さらに、あなたの周りの人のオニオンの皮をむいて、彼らがリーダーシップを発揮できるようにしてあげられるでしょう。

変化のスピードが速く混沌としたこの時代において、最高のパフォーマンスが上げられる組織とは、全員参加型のリーダーシップが発揮できる組織のことです。あなたの人生で、優秀な組織に身を置く充実感と喜びを体験してください。

さあ準備はよろしいですか？

いざ、あなたの本当のリーダーシップを発見する旅に出かけましょう！

目　次

装丁・組版　濱崎実幸

第1章
オニオン・リーダーシップ

1-1　オニオン・リーダーシップとは？

タマネギを思い浮かべてください。タマネギの外側には茶色の薄い皮があって、皮をむくとつるりとした白い中身が出てきます。

実はあなたはタマネギのようなものです。あなたは生まれてから今までずっと茶色の皮をつけたまま生きてきたので、自分に皮がついていることに気づくことはありませんでしたし、周りの人たちも皮のついたあなたしか知りません。しかし、あなたの本当の姿はタマネギの白い中身のほうです。あなたも含めてまだ誰もあなたの本当の姿を知らないのです。

あなたは、タマネギの皮越しに見える世界を見て、皮越しに聞こえてくるものを聞いています。しかし、果たして本当にそうなのだろうかという気がしてくるでしょう。でも、もしそうだったとしたら、とても恐ろしいことだと思いませんか？

もっと恐ろしいことには、今この本を読んでいる瞬間もあなたは皮越しに入ってくる情報を新しい知識として蓄えているということです。これでは世界の見え方が劇的に変わることはありません。あなたを一瞬にして今までとはまったく異なる次元に押し上げ、ものの見え方を変え、リーダーシップを進化させるには、あなたが皮を捨てて本来の自分を発見する以外に方法はありません。

> 20世紀の偉大な物理学者であるヴィクター・ワイスコフは、彼が入門クラスを教える時に「あなたは何をカバーする（講義する）のですか？」と問われ、「私が何をカバーするかは問題ではなく、あなたがたが何をディスカバーする（発見する）かだ」と答えました。
>
> （ノーム・チョムスキー、2013年）

リーダーシップにも同じことが言えます。リーダーシップを学ぶということは、新しい知識を勉強するのではなく、あなたの中にあるあなた本来の自分を発見する（ディスカバーする）ことなのです。

そして、これこそがハーバード・ビジネススクールで教えられている「リーダーシップ体得の極意」です。これを私の経験を踏まえて見ていきましょう。

ハーバード・ビジネススクールではケーススタディという勉強法が用いられています。「ケース」はＡ４概ね20ページくらいの文章で示され、時代背景や置かれている状況、戦略、競合、売り上げなどの各種データがそろっています。そして、教授が考えた質問が事前に与えられます。生徒はまず個別にそのケースを読み、次に少人数のグループでディスカッションを行い、それから授業に臨みます。授業では、ケースについてクラス全体でディスカッションし、そこからビジネスの理論を学びます。そしてなんと、授業の最後にはケースでとりあげられている本人が出てくることもありました。

「あなたはこの時なぜそのような決断をしたのですか？」
「その時どのような気持ちでしたか？」

などと、直接その人に質問をぶつけることができるのです。本人が登場しない場合は、過去の授業を撮影したビデオを見ることができました。

このようなケースがありました。グループでディスカッションしていた時には、みんなで「こんな上司は絶対にごめんだね」と話していたのに、授業が終わると全員が口をそろえて、「あの人の下で働きたい！」に変わっていたのです。

これはテキストから学ぶ情報と、本人の口から伝わってくる情報に大きな差があることを発見する（ディスカバーする）経験でした。これもタマネギの皮を一枚むく経験と言えるのではないでしょうか。

さて、話を戻しましょう。この本では、この自分自身を発見する過程をタマネギの皮をむくことにたとえています。オニオン・リーダーシップのゴールはあなた本来の自分を発見することです。

オニオンの中身はあなた本来の自然な姿であり、これに気づくことが、どのような状況においても、自発的で、直感的で、効果的な応答をするリーダーシップを可能にします。

これまで、会社の業績悪化や組織のモラル低下などの問題は、リーダーの能力不足が原因と考えられてきました。しかし実際は、リーダーに能力が不足しているのではなく、リーダーシップがうまく発揮できていないことが原因だったのです。例えば、以下に当てはまることがあれば、リーダーシップはまず発揮できません。

- 自分自身がよく分かっていない。
- 現実に向き合えず、失敗を認められない。
- 組織のミッション・ビジョンに熱意がもてない。
- 他人に共感できない。
- 組織を変える勇気がない。

みなさんはどうでしょうか？　これらに１つでも当てはまるものがあれば、あなたはこの本を読む理由があると言えます。これらはオニオン・リーダーシップを体得することで、克服することができます。そして、それには滝に打たれるような荒行は必要ではなく、朝から晩まで別人を演じる必要もありません。あなたは、ありのままの自分の姿を発見し、その姿で存在するだけで良いのです。

スーパーで山積みされて売られているタマネギが、どれ１つとして同じではなく、大きさも形も１つずつ違うように、人もそれぞれ顔や体つきが違います。リーダーシップも同様にそれぞれで違うのです。あなたは自身の生い立ちやこれまでの経験など、あなた固有のものから形成されています。あなたに固有なものを認知せずに、あなた自身のリーダーシップを発揮することはできません。

自分の本来の姿を知り、本来の自分として存在するためには、まず自分の皮をむく作業が必要です。これは自分自身を発見することであり、あなた自身にしかできないことです。美容院で髪を切ってもらうように、誰かにお願いして皮をむいてもらうわけにはいきません。

1-2　リーダーシップは組織単位から個人単位へ

今なぜリーダーシップが問われているのでしょうか？

その理由の１つは世の中の変化のスピードの速さにあります。新型コロナウイルスによってここ数か月の間に世の中はすっかり変わってしまいました。私たちはこれまで体験したことがない急速な変化に臨機応変に対応しなければなりませんでした。コロナ以前から、グローバリゼーションやIT技術、ソーシャルメディア、ミレニアルズ、ダイバーシティといったキーワードが広がっていましたが、パンデミック以後、これらのワードはさらに重要性を増しています。私たちの世界はこれまでになく予測困難な時代になっています。このような難しい状況において、しっかりとした目標を定め、みんなを束ねて組織を動かすリーダーの存在はより必要とされています。

グローバリゼーションを例にとってみましょう。明日あなたはどの国でリーダーシップをとらなければならないか分かりませんし、会議は国境を越えてオンラインですし、職場はテレワークです。SNSやYouTubeにさまざまな情報があふれています。世代間のギャップもますます広がるばかりです。出世やお金ではなく、自分らしく生きることを望むと言われるミレニアルズ世代の登場、人の多様性を認めるというダイバーシティが重要になり、これまで多数決で押し通していたものが少数派の意見にしっかり耳を傾けなければならない時代になっています。

『オーセンティック・リーダーシップ（Authentic Leadership）』の著者であるビル・ジョージ教授は、授業の中で次のように言いました。

> これまでのような、１人のカリスマ的なリーダーが、トップダウンで組織をぐいぐいと引っ張っていくようなリーダーシップは、もう通用しなくなっています。リーダーは「自分らしさ」をオープンにして、人に勇気と力を与えることが求められています。マネジメントは、トップダウンからボトムアップへと変わりました。リーダーシップは、「組織」から「独立した個々人」という単位に変わらなければなりません。

急速な時代の変化の中において、組織がパフォーマンスを上げるためには、組織の全員がリーダーシップを発揮する必要があるのです。リーダーは自分１人がリーダーシップを発揮すればすむのではなく、メンバー全員がリーダーシップを発揮できるような環境を作ることが求められているのです。組織の全員がそれぞれの立場でリーダーシップを発揮した時、組織は想像を絶する高いパフォーマンスを発揮することでしょう。このリーダーシップの組織単位から個人単位への変化こそ、最新のリーダーシップ論の核心です。

1-3　オニオンの皮の正体は？

オニオンの皮①――意味を作るコンタクトレンズ

オニオンの皮の１つ目の正体は「意味を作るコンタクトレンズ」です。あなたはいつもそのコンタクトレンズを通して周りの世界を見ています。そのコンタクトレンズは、あなたにさまざまな物事の意味を映し出してくれます。『ドラゴンボール』を見たことがある人はサイヤ人が使っていたスカウターを想像するとイメージしやすいかもしれません。

> スカウターとは、鳥山明の漫画『ドラゴンボール』およびそれを原作とするアニメシリーズなどに登場する相手の強さ（戦闘力）を測定できる架空の装置である。
> 作中では主にサイヤ人編、ナメック星編にて使用され、フリーザ一味にはほぼ全員支給されていた。
> 片メガネに似た形状をしている。片耳に取り付けて、付属の小型スクリーンに相手の戦闘力が表示される。（https://dic.nicovideo.jp/a/スカウター）

このコンタクトレンズは、ある状況下において、あなたの好みや感覚などに合わせて、あなたがその状況に素早く対応できるよう、自動的に反応を決めています。私たちは毎日物事に対する反応を自動で生成しては、素早く状況を理解して物事に対応し、これまでの経験からその時に最も適切な行動をとっています。これが生きるということの内実です。これはヒトという生物が、500万年という長い時間をかけて生存のために作り出してきた脳の機能です。

次の文章を読んでください。

新聞は雑誌よりはましです。海岸は道路よりも良い場所です。最初は歩くより走るほうが良いです。数回試す必要があるかもしれません。ある程度のスキルが必要ですが、習得は簡単です。小さなお子様でも楽しめます。成功すれば、難しさは最小限に抑えられます。鳥が近づきすぎることはめったにありません。雨は非常に早く染み込みます。同じことをしている人が多すぎると、問題が発生する可能性があります。広い場所が必要です。混乱がない場合、それは非常に平和です。岩がアンカーとして機能します。しかし、それがうまくいかない場合、２回目のチャンスはありません。

（ロバート・A・バートン、2008年）

頭に何が浮かびましたか？　あるいは、さっぱりイメージが湧かなかった人も多いのではないでしょうか。では、次の言葉を与えられた後にもう一度この文章を読んでみてください。

「凧《たこ》」

どうでしょう？　今度はみなさん「なるほど！」と、理解できたと思います。凧という言葉には意味が付いています。例えば、「空に飛ばすものである」、「ビニールや紙でできているものもある」、「子供が遊ぶものである」、「広い場所が必要である」などです。

あなたは、凧をすでに知っているコンタクトレンズを通して見ることで、記憶という過去の知識から「凧」の意味を瞬時に引き出すことで、文章が理解できるようになります。何事につけ、私たちは意味を教えてくれるコンタクトレンズを通してものを見ているのです。

もう１つ例を見てみましょう。

あなたは車を運転していて、高速道路を走っています。すると前の遅い車があなたの走行を邪魔しました。あなたは急いでいるのでイライラし始めます。

このようなイライラするきっかけは私たちの日常に多くあります。しかし、あなたは深く考えてイライラしているわけではなく、むしろ周りの状況によって、その時自動的に反応しているのではありませんか？　さらに場面を進めて見ていきましょう。

　次の瞬間、前の車を運転しているのが、実はあなたが大好きな祖母だと気が付きます。

　その時あなたにはどのような感情が沸き起こってくるでしょうか？　先ほどまでのイライラはすぐに消えてなくなり、ゆっくりと走る車がいとおしくなり、思わず微笑んだりするかもしれません。さらには、事故に遭わないだろうかと心配したりするかもしれません。

　遅い車に走行を邪魔をされたという現実は何も変わっていません。凧の例からも明らかなように、与えられた条件や背景が変わることによって、人は物事をまったく違う意味に捉えるようになります。そして、そこに含まれた意味によって感情が作られ、人は次の行動に移ります。

　先ほどの凧の例では、凧には、「空に飛ばすものである」、「子供が遊ぶものである」……という意味が付いていました。遅い車の例で言うと、「遅い車のせいで時間に遅れてしまうかもしれない」という意味や、「高速道路を遅く走るのは迷惑である」という意味が付いています。

　実は、あなたが気づいていない「意味を作るコンタクトレンズ」が、あなたの反応を作っているのです。逆の見方をすると、あなたはコンタクトレンズに使われてしまっているのです。どのように使われているか、次の2つの例で見てみましょう。

ジョシュア・ベルという世界的に有名なヴァイオリニストが、ワシントンD.C.の地下鉄の通路で、約4億円のストラディバリウスを使って演奏をした。彼の前を、1097人が通り過ぎて行った。ほとんどの人は彼に気づかずに通り過ぎ、集まったお金は、43分間で32.17ドルだった（1分あたり75セント）。今度は、彼がコンサートホールで同じ曲のセットを演奏すると、4万3000ドルの売り上げがあり（1分あたり1000ドル）、聴衆から、「彼は世界一のクラシック音楽家であり、ヴァイオリン演奏史上最高の演奏だった」と論評された。（ジーン・ワインガルテン、2007年）

同じ状況であれば、おそらくあなたも、地下鉄の通路で世界的なヴァイオリン奏者が世界的な名器を使って演奏していたとは思わないでしょう。ここでは、コンタクトレンズはどのような意味を作っていたのでしょうか？「地下鉄でヴァイオリンを弾いている人は素人で、聞いても価値がない」という意味だったでしょう。

1984年、ニューヨークの地下鉄での犯罪を撲滅するために、デイビッド・ガン氏が就任した。
彼は電車をきれいにすることをゴールにした。

1990年代初めから中頃にかけて、ニューヨークは移民を大量に受け入れていたわけではなかった。人々が通りで善悪を説いたのでもなかった。ニューヨークには、精神に疾患のある人や、犯罪に手を染める人がいただけなのである。しかし、ある理由で１万人ものこのような人々が一斉に犯罪をやめてしまった。ガン氏は何をしたのか？　その答えは背景（コンテキスト）の力にある。

（マルコム・グラッドウェル、2002年）

この例では、人々は一斉にそれまでと違う行動をとりました。ガン氏が作った意味のコンタクトレンズは、次のようなものでした。「きれいな地下鉄は管理が行き届いている。それゆえ私たちは監視されているかもしれない」。人々がそう思うようになって、行動が変わったのです。

つまり人は、物事の本当の姿を見ているわけではありません。物事の背景を見ているのです。前者の例では、背景は「地下鉄の通路」と「コンサートホール」です。後者の例では、背景は「汚れている地下鉄」と「きれいな地下鉄」です。そして、これら物事の背景に付いている意味が人の行動に影響を与えます。

ここで注目すべきことは、その人の行動を見れば、その人が背景に与えている意味が分かるということです。

もしあなたのお子さんが勉強嫌いで、机に向かうことをできるだけ避けようとするならば、「勉強はつまらないものだ」という意味がそうした振る舞いの背景に存在しているかもしれません。逆に、自然に机に向かって、毎日教科書をめくっているのであれば、「勉強は自分の将来に大切だ」という意味が彼の背景にあるのかもしれません。

また、もし毎朝あなたが会社に行く時に憂鬱な気分になるのであれば、「上司がどうも苦手だから会いたくない」という背景が存在しているからかもしれませんし、逆に会社にスキップしたくなるほど軽やかに通勤し、1秒でも長く仕事をしたいと思っているのであれば、「信頼できる仲間と最高の仕事をしている」という背景が存在しているのかもしれません。

このように、コンタクトレンズが作り出している背景の意味と、あなたの感情や行動は常に関係しています。そして、ニューヨークの犯罪撲滅の例で、「1万人ものこのような人々が一斉に犯罪をやめてしまった」とあるように、組織の行動には共有されているコンタクトレンズが存在しているのです。ですから、もしそのコンタクトレンズにある意味を書き換えることができれば、一斉に全員の行動を変えることが可能なのです。

組織が10人くらいの規模であれば、あなたが直接全員と話をして認識を共有できるかもしれませんが、100人、1000人となると、彼らのコンタクトレンズが作り出す意味を書き換えない限り、全員の行動を一斉に変えることは不可能でしょう。

経営者やマネジャーの願いは、企業理念の浸透や、社員の調和、パフォーマンス最大化による企業価値の向上などですが、それらを実現すべく毎朝社訓を唱えたとしても、そのことによって彼らのコンタクトレンズが作り出す意味が書き換わらなければ、実効性は乏しいままでしょう。

では、このコンタクトレンズが作り出す意味を書き換えるにはどうすればよいのでしょうか？

まず、１人１人に、「これは私にとって重要なことである」、「私にもできる」と思ってもらわねばなりません。それにはリーダー自身が「これは私たちにとって重要である」、「私たちならできる」と心から思って実践に臨む必要があります。

元ゼネラル・エレクトリック（GE）のCEOジャック・ウェルチ氏の言葉を見てみましょう。リーダーの仕事について、彼がどのように背景の意味を使っていたか分かります。

> 母からもらった最大の贈り物は、自信だったかもしれない。これまで一緒に仕事をしてきたあらゆるエグゼクティブに、私が求め、植えつけようとしてきたのが、この自信だ。自信は勇気を与え、自分の守備範囲を広げてくれる。
> 人に自信をつけさせることが、リーダーの大事な仕事だ。できるとはとうてい思えないことをなし遂げる機会や、やりがいのある仕事を与え、成功するたびに、どんな形であれその功績を讃えることによって、自信は生まれてくる。
> 自分がなりたいと思う、どんな自分にもなれる。すべては自分次第だ。母にそう言われ、私もそう信じていた。「一生懸命努力さえすれば」。

（ジャック・ウェルチ『わが経営』2001年）

ジャック・ウェルチ氏は、人に自信をつけさせることがリーダーの大事な仕事だと述べています。これはコンタクトレンズが作る背景の意味を「私にもできる」に書き換えることと言えるでしょう。

リーダーの素顔①——ジャック・ウェルチ氏

ハーバード・ビジネススクールの授業にジャック・ウェルチ氏がゲストとして来てくれた時のこと。クラスメートが、今まででで一番誇りに思うことと、一番後悔したことを聞きました。

「私が誇りに思うのは、たくさんのCEOを育てたこと、200人を超える億万長者を出したことです。後悔？　後悔なんてあるわけない。何もないところから始めたのだから。最下層からGEのCEOになれた。たくさんの幸運に恵まれました。私はただ勝ち続けたのです。ずいぶん昔にお母さんに言われたようにね」

今でも彼の目力を思い出します。誰よりも会社を愛し、そして従業員を愛した人。

ジャック・ウェルチ氏は2020年３月１日に永眠されました。追悼の意を込めて。

これはポジティブシンキングやフレーミングではありません。よく混同されてしまうので、違いを明確にしておきます。

ポジティブシンキングやフレーミングという手法はネガティブな感情が起こった時、その感情と実際の問題を切り離してポジティブに言い換えることです。

例えば、「明日のプレゼンテーションが不安だ」という「感情」があるとします。ただ、「実際」はこれまでしっかりと準備してきたので問題はありません。まず、前者の「感情」と後者の「実際」を切り離してください。そして、不安だという感情を「これは会社のことをよく考えている証拠だ」とポジティブに言い換えるのがポジティブシンキングです。

また、「上司に叱られて悲しい」という「感情」があったとします。自分に至らないところがあり、それを指摘されたということが「実際」であるのであれば、「叱られたことで気づけて良かった」と言い換えます。

また、あなたが上司であり、「部下の仕事が遅くて腹が立つ」という「感情」があったとして、「実際」が部下の単純なミスであったとしたなら、「世の中に完璧な人間などいない」というように言い換えることです。

しかし、もうお気づきかもしれませんが、この手法では根本的な問題は解決されません。「感情」を一時的に上書きしたとしても、また同じことが起きれば、同じような「感情」に囚われます。そのたびに書き換えを繰り返し、回数を重ねることで、慣れていくということはありますが、感情が起こってくること自体を消すことはできません。なにより、そうしたことを繰り返す精神的・時間的負担が無駄です。これを根本的に解決し、一瞬で事態を変えることは、コンタクトレンズが作り出す意味を書き換えることでのみ可能になります。

先ほどの「部下の仕事が遅い」を例にして考えてみましょう。まず部下は本当に仕事が遅いのかを客観的に確認する必要があります。そして、本当はそこまで遅いわけではなく、自分が遅いと思っていたとしたなら、なぜ「部下の仕事が遅い」と思っていたのか、自分にはどんなコンタクトレンズがあるのかを探してみてください。「彼には自分ほど能力がない」、「彼は何をやらせても遅い」などという意味が存在していませんか？　これらの意味を作っているのはあなたではありません。あなたのコンタクトレンズです。

そして、このコンタクトレンズを通して彼を見ると自動的にこれらの意味が付いてきます。彼の進まない仕事ぶりを見るたびに、あなたは「やっぱり」とその確信をどんどん深くしていくのです。そして、早く仕事ができたとしても、それはあなたには「どうせきっと誰かに手伝ってもらったのだろう」と見えてしまいます。

私たちに見える状況は、すべてこのようなコンタクトレンズが作り出す意味とともにあります。コンタクトレンズは意味を作り、それに反応して感情や行動が作られます。このようにしてコンタクトレンズは私たちを使っているのです。私たちはみんなコンタクトレンズを使っているようで、実は使われているのです。

このコンタクトレンズが自然にとれることはまずありません。その理由は、あなたの目で見えるものではないということと、あなたはこのコンタクトレンズを付けているのを生まれてからたった今この本を読むまで知らなかったからです。

私たちはこのようにして、気づかないうちにコンタクトレンズが作り出す意味に使われて生きています。そして、あなたがリーダーとなってリーダーシップを発揮することを邪魔しています。あなたがオニオン・リーダーになるには、まずこのコンタクトレンズをとって、意味の付いていないありのままの現実が見えるようにならなくてはなりません。

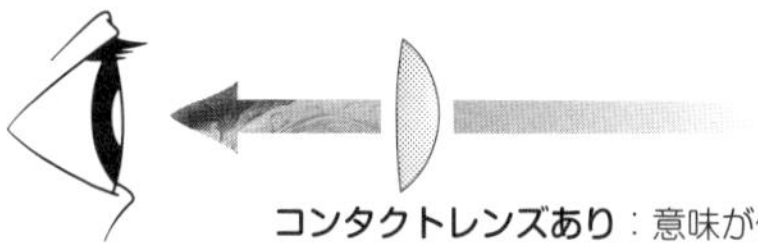

コンタクトレンズあり：意味が付加される

コンタクトレンズなし：本来の姿で見る

では、なぜリーダーはありのままの現実を見る必要があるのでしょうか？　それはあなたが率いている組織全員にもコンタクトレンズが付いているからです。先ほどの仕事が遅い部下のコンタクトレンズを考えてみてください。「仕事がつまらない」とか「一生懸命やっても無駄だ」というコンタクトレンズの意味が存在しているかもしれないのです。もしくは、あなたのことを「いつもイライラしていて気難しい上司と仕事をするのは苦手だ」とか、「私のことを理解してくれないリーダーだ」と見ているかもしれません。

重要なことは、相手のコンタクトレンズもあなたの行動や反応を見て意味を作り出しているということなのです。私たちのコンタクトレンズは相互に影響しているのです。これではお互いを信頼して最高のパフォーマンスを発揮する組織を作れません。

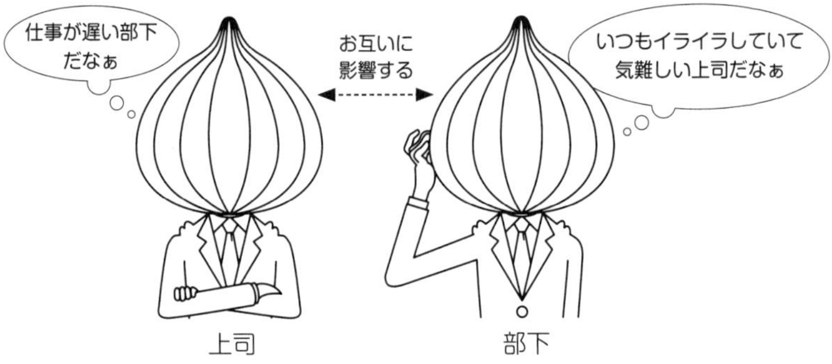

ここで、もう一度彼の仕事が遅いことについて、なぜイライラするのかを考えてみましょう。そこには「彼には自分ほど能力がない」、「彼は何をやらせても遅い」という意味ではなく、「私はいつも正しくないと気が済まない」や、「私は会社の業績を心配して焦っている」という、彼ではなく自分自身が作っている意味はありませんか？　そして、眉間にしわがよったり、不機嫌が表情に出ていませんか？

ダイキン工業を売上高１兆円のグローバル企業に育て上げた井上礼之会長は自伝の中で、上司と部下の関係について、次のようなエピソードを書いています。

> 10日間の無断欠勤のあと職場に復帰すると、普段はあいさつもしてくれない係長が私の顔を見てニタッと笑った。「わがままなことで申し訳ありません」とわびると、無言でうなずき「この仕事を一週間でやっておいてくれ」と命じた。それまで毛嫌いしていた係長との距離が一気に縮んだ。
>
> （井上礼之『人の力を信じて世界へ――私の履歴書』2011年）

それまで「毛嫌いしていた上司」は、実はコンタクトレンズが作っていた意味だったのです。無断欠勤の後に上司がニタッと笑って迎えてくれたことが、「気難しい上司」というコンタクトレンズが作っていた意味を「分かってくれる上司」に書き換えてくれたのです。

さあ、いよいよ実践に入ります。ここからはあなたの番です。できるだけ多くあなたのコンタクトレンズを見つけてみてください。このコンタクトレンズをとる方法は、実はとても簡単です。あなたが付けているコンタクトレンズがどのようなものであるかを認識するだけで良いのです。そうすれば、あなたはそれらのコンタクトレンズを永久にとってしまうことができます。コンタクトレンズは１つではなく、たくさんあります。誰にでもある「人気の」コンタクトレンズのリストもあります。それらが自分に付いていないかチェックしてみてください。

コンタクトレンズを認識する練習です。

オニオンの皮を見つける❶ ――コンタクトレンズと反応

(1)　**あなたの状況は？**　㊟仕事が遅い部下がいる

(2)　**あなたがいる環境は？**　㊟会社のパフォーマンスをあげなければならない

(3)　**あなたの存在の在り方は？**

㊟**考え**：彼はパフォーマンスをあげようとしない怠け者である

感情：イライラする

態度：眉間にしわがよる

考え……………………………………………………………………

感情……………………………………………………………………

態度……………………………………………………………………

(4)　そこにはあなたのどのような背景があるのか？

㊟彼はもっと努力すべきである

………………………………………………………………………

●よくある「人気の」コンタクトレンズのチェックリスト

	コンタクトレンズが付加する意味	あなたの反応の例	
1	あなたは○○をすべきだ	イライラする	
2	あなたは○○したほうが良い	馬鹿にした態度	
3	私は常に正しい	言い訳をする	
4	あなたは間違っている	反論をする	
5	私が勝ちたい	ムキになる	
6	恥ずかしい	黙っている	
7	逃げたい	関係ないふりをする	
8	人が怖い	なるべく関わらないようにする	
9	馬鹿にされたくない	分かったふりをする	
10	面倒くさい	忙しいふりをする	
11	責任をとりたくない	知らないふりをする	
12	○○が心配だ	焦って落ち着かない	

コンタクトレンズは１つではなく、たくさんあります。そして、ある状況になるとあなたの反応するパターンは決まっています。まず自分の反応から、あなたが付けているコンタクトレンズを探してみましょう。そして、次からはその状況で同じ反応をした場合、その反応はコンタクトレンズが作り出した意味であることを認識してください。

仕事が遅い部下のケースでは、「自分はいつも正しくないと気が済まない」というコンタクトレンズを発見したとします。すると、次にその状況に陥ってイライラしたとしても、「これはコンタクトレンズが作り出した意味なのだ。これは脳の機能なのだ」と認識できれば、この感情に対応することができるようになります。このプロセスを繰り返し行うことで認識が徐々に早くなり、コンタクトレンズによって自分の感情や行動が支配される時間は確実に減っていきます。

オニオン・リーダー体得への最初の道は、このコンタクトレンズを認識して、それが作り出す意味に思考が支配される時間を減らしていくことです。

コンタクトレンズが作り出す意味を書き換えるプロセスは第３章の「未来を創る」で詳しく説明していきます。

オニオンの皮②
――音声ガイド付きノイズキャンセリングヘッドホン

オニオンの皮の２つ目の正体は、音声ガイド付きヘッドホンです。さらに、「ノイズキャンセリング機能」も付いています。なんだか長いですが、私たちはこの２つの機能を持ったヘッドホンを耳に付けて話を聞いています。

最初に音声ガイドの機能について見ていきましょう。

音声ガイド機能はいろいろな状況においてあなたの頭の中で会話を作り出しています。この音声ガイドは神様の声でも、あなたの心の叫びでもありません。このヘッドホンが作り出している会話です。

例えば、今あなたの目の前に人がいて、これから会話が始まるとします。まだ会話は始まっていないのですが、その音声ガイドはすでにあなたの頭の中で聞こえ始めています。

翻訳ヘッドホンあり：内面の会話が付加される

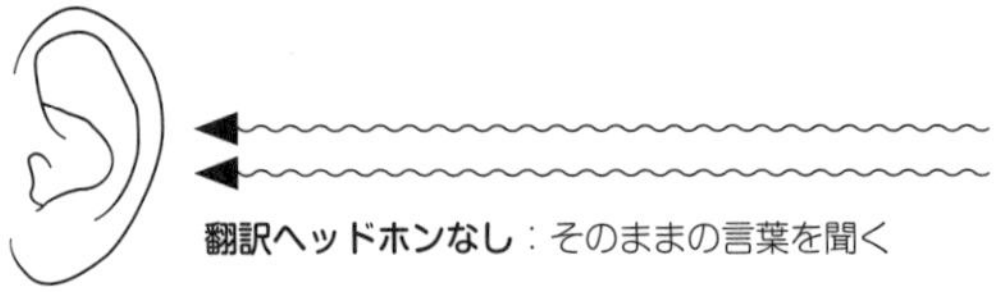

翻訳ヘッドホンなし：そのままの言葉を聞く

例えば、これからあなたの部下が次のプロジェクトについて、上司のあなたに説明しようとしています。部下が会議室に入ってきて、あなたの正面に座りました。

【部下の音声ガイド】え、緊張してきたな。この上司めちゃくちゃ怖いんだよな。この前も全然話を聞いてくれなかったし。今日もまた失敗したらどうしよう……。
【上司の音声ガイド】なんだか緊張しているみたいだけど、今日は大丈夫かな。

２人の頭の中では音声ガイドの声が聞こえていますが、それを声に出して言ったりはしません。

「本日はお時間をいただきましてありがとうございます。次のプロジェクトについてお話をさせてください。前回ご指摘いただいた点を踏まえていくつか修正をしました……」

このように、この音声ガイド機能はだんだんとボリュームを上げてあなたの耳を乗っ取っていき、徐々にあなたの思考を占領していきます。

【部下の音声ガイド】結局迷いに迷ってA案とB案のうちA案にしたけど、B案のほうがよかったかな。あ、そういえば、この前指摘されたあのデータを入れ忘れた。どうしよう、また今日も怒られるかもしれない。
【上司の音声ガイド】だいたいいつも詰めが甘いんだよな。何度も注意しているのに直らない。そもそも、最近の若い奴はもっと素直になるべきだ。俺が若い時は……。

「マーケティング部がA商品のほうが使いやすいというユーザーからのフィードバックを多数得まして、その詳細は……」

【上司の音声ガイド】そのユーザー・フィードバックの報告は先週マーケティング部の○○さんから直接報告を受けた。もう知っているよ……。

そして、部下は一生懸命話をしていますが、次第にノイズキャンセリング機能が働いてきて、あなたには部下の話が聞こえなくなってしまいます。あなたは部下の話に適当に相槌を打ちながら、話を聞いているふりをします。しかし実際に彼が言っていることはほとんど聞こえていません。

例えば、クラシック音楽が街中で流れていたとします。あなたはその音楽を聴いて、「クラシック音楽は昔から苦手だな」という言葉があなたの内側から聞こえてくるかもしれません。もしくは、あなたがクラシック音楽好きであるなら「ボストン・フィルのベートーヴェンは最高だなぁ」などと聞こえてくるかもしれません。残念ながら、この音声ガイド機能をOFFにすることはできません。

さらに、このヘッドホンにはノイズキャンセリング機能が付いています。この機能はあなたがすでに知っていると思うことを取り除いたり、あなたに都合の悪いことや、あなたに対する批判なども、ノイズとして除去したりしています。次の例があなたに当てはまるかどうか見てください。

「私はすでに知っている」というのは、よくある音声ガイド機能の１つです。先ほどの例で、あなたは実際には結果がどのようになったか知っていますが、今部下が言っていることのすべてを知っているわけではありません。つまり、あなたが「すでに知っている」というのはあなたの態度であり、それがノイズキャンセル機能なのです。そして、結果として彼にはあなたが「話を聞いてくれない上司」として映るのです。

ここで重要なのは、誰かがあなたに何かを言う時、あなたにはその人が本当に話していることが聞こえていないということです。あなたは自動的に「聞いても意味がない」と判断することによって、実際に話されていることを聞き落としているのです。そして、あなたの記憶にはあなたにとって都合の良い情報しか記録されていません。

このように人間には、他人が語る言葉に対して自動的に付加・除去を行うヘッドホンが付いています。この人間の在り方について、ホールデン氏は以下のように述べています。

人が新しいアイデアを受け入れるには４つのステージがある。

①これは意味がない、ナンセンスだ

②（あまのじゃくに）これは面白い視点だ

③これは本当だ、しかしあまり重要ではない

④私はいつもそう言っていた

（J.B.S.ホールデン、1963年）

このヘッドホンにはあらかじめ決められた質問のセットが入っています。その質問のセットは状況に応じて自動的にあなたに質問を投げかけてきます。

「同意するか、しないか」
「正しいか、間違っているか」
「真実かウソか」
「こうなったらどうしよう」

そして、これらの質問があなたの思考をハイジャックし、あなたの大切な脳の処理能力を奪っています。そのせいで、あなたはその時に本当に何が語られていたのかをきちんと聞くことができず、会話を最初から最後まで再現することができません。あなたが記憶しているものは、話の大まかな要点と音声ガイドがあなたに投げかけた質問の答えだけです。このようにして私たちは内面の音声ガイドに惑わされているのです。

日本最大のコーヒーチェーンとなった「ドトールコーヒー」の創業者である鳥羽博道氏は内面の会話による影響について次のように述べています。

> あるとき気づいた。「倒産する、倒産すると思っているから心が萎縮する。心が萎縮するから思い切って働けない。明日倒産してもいい。今日一日を必死でやろう」と。朝から晩まで体の続く限り働いた。コーヒー豆と一緒に、ひたすら自分の人間性と商売に対する真剣さを売り込み続けた。すると、ドトールの豆を扱ってくれる得意先が徐々に増え

> ていった。死んで１年たてば保険金が下りることが分かった。いよいよとなれば、自殺して保険金で清算すればいい。死を覚悟すれば、人間は強い。猛烈なエネルギーが湧いてきた。「勝つか死ぬかの気持ちで物事にあたる」これは私の事業経営の基本となっている。
>
> （鳥羽博道『ドトールコーヒー「勝つか死ぬか」の創業記』）

「倒産するかもしれない」、「倒産したらどうしよう」という自動的に生成される質問が常に耳に流れていては、判断が萎縮するのも無理はありません。

「あの時はああなったから、今度はこうしたほうがいいだろう」

私たちはこのようにして状況の整合性を常に考えています。この音声ガイドはあなたの過去からの声です。たとえ未来のことを考えていても、私たちは過去からの声に耳を傾けてしまいます。しかし、よく考えてみると、それは過去のことであり、未来に起こることとは言えないのです。この機能は私たちを制限しています。つまり、このヘッドホンを装着している限り、あなたの過去を超えることはできません。

それでは、このヘッドホンをとるにはどうすれば良いのでしょうか？　それにはまず、この音声ガイドの声が自分の声ではないということを認識します。そして、この声に耳を貸さないでいる、つまり意識を向けないで放っておくと、この音声ガイドのボリュームはだんだん下がっていきます。そして、ついにはほとんど聞こえなくなります。

それでは、ここから次の例を参考に、音声ガイドの声を見つけてみてください。さらに「人気の」質問リストもあります。これらの声が自分に聞こえていないかをチェックしてみましょう。これらの声が聞こえていても、問題ありません。認識をして耳を貸さない練習をしてください。

音声ガイドの声を認識する練習です。次の質問を聞いて、あなたの音声ガイドの声が頭の中で聞こえるか確認しましょう。

オニオンの皮を見つける②――頭の中で聞こえる、音声ガイド

⑴社長に「うちの会社は良い会社だと思うかね」と聞かれた。
⑵社長に「今月の売り上げが未達なのは何が原因なのかね？」と聞かれた。
⑶上司に「今の人数のまま売り上げを倍にしてほしい」と言われた。
⑷部下に「若い世代には根性論は通用しないですよ」と言われた。
⑸部下に「私は私のやりたいようにやりますから」と言われた。
⑹部下が「私の部下がやる気ないんですよ」と言ってきた。
⑺部下が「バブルの時はディスコが流行っていたんですよ」と言った。
⑻妻が「もう少し早く帰ってこられないの？」と言った。
⑼夫が「いつも忙しそうだね」と言った。

●よくある「人気の」音声ガイドの質問チェックリスト

オニオンの皮（音声ガイドの質問）		
1	同意する？　しない？	
2	私のせい？　私のせいじゃない？	
3	どうすればいい？　答えは？	
4	私は正しい？　間違っている？	
5	あなたは～をすべきじゃないの？	
6	私のほうが詳しいのでは？	
7	忙しいけど手伝うべき？	
8	結局何が言いたいの？	

オニオンの皮③——自動チャットボット

オニオンの皮の３つ目の正体は自動チャットボットです。このチャットボット機能は、あなたの意思に関係なく、あなたが本当に思っていることとはまったく別のことをつい発言してしまいます。大好きな恋人に意地悪なことを言ってしまうという具合です。みなさんも一度は経験があると思います。

このチャットボット機能は、あなたの立場から来ています。例えば、あなたがマネジャーだとしましょう。あなたの部下があなたに、業務のことで分からないことがあると質問してきました。あなたは実際その質問の答えを知りません。しかし次の瞬間に「ごめんなさい。ぼくは今手が離せないから○○さんに聞いてみて」と、ついこのような返事をしてしまうのです。あなたはマネジャーという立場にあるので、「馬鹿にされたくない」、「知らないと言うのは恥ずかしい」と反応をしています。

私たちは根本的に人からよく見られたいという願望があります。この願望と立場から、私たちは評判を損なうわけにはいかないと考えるのです。そして、直接的になったり素直になったりすることから避けようとします。これは評判が失われることを恐れるからです。いくつか例を見ていきましょう。

あなたは同僚とプロジェクトの話をしています。「君のプロジェクト、こうしたらもっと良かったんじゃない？」と言われるやいなや、あなたは「いや、それを言うなら○○さんの仕事が遅れたせいで」と反論を始めます。あなたはまるで自分が否定されたかのようにムキになって自分を正当化しようとします。これはあなたの評判が失われるという恐れからの反応です。あなたは同僚からの忠告をあなたへの挑戦だと認識し、それに対して防御反応を示しているのです。

結果として、あなたはこのような批判を素直に受け止めることができず、自分を改善する機会を失います。そして、常に正しくありたい、間違いたくないという思考から、あなたはより保守的になるのです。

もう1つ例をあげてみましょう。あなたは母親です。あなたの子供は朝からずっと家でゲームをしています。「ママ、今日はおやつないの？」と言われて、つい「いい加減にしないさい！ずっとゲームばかりして！　宿題はもう終わったの？」と叱ってしまいます。心の中では小言を言わないいつも笑顔の母親でいたいと思っているのです。ここには母親という立場が存在しています。その瞬間は、子供の将来を案じているというよりも、子供の成績が悪いとダメな母親だと思われるかもしれないという、自分への評判が損なわれることを恐れているのです。

このチャットボット機能を止めるにはどうすれば良いのでしょうか？　それはまずこのチャットボットが自分の立場から来ていることを認識します。そして、立場から来ているのであれば、評判が失われる恐れの気持ちはないか、自分は○○だから△△でなければならないと思っていないか、を考えて話すようにしましょう。そうすることであなたは立場から解放され、本来の自分の姿で話すことができるようになります。

例えば母親の例で見ると、自分は母親という立場だから子供をしっかり育てないといけない、でなければ評判を失うと思っていたことを認識できれば、本当は「小言を言わないいつも笑顔の母親でいたいと思っている」ので、子供が「ママ、今日はおやつないの？」と聞いてきたら、とっさに出るチャットボットを止めて、「この子は今日も元気で良かった」と笑顔になることができるかもしれません。

次の例を参考に、チャットボットを見つけてみてください。さらに「人気の」チェックリストも載せてあります。自分にチャットボットが付いていないかチェックしてみてください。

オニオンの皮を見つける③——つい口から出てしまうチャットボット

(1)あなたが日ごろからつい口にしてしまうことはありますか？

誰に……………………………………………………………………

何を……………………………………………………………………

(2)そこにはあなたの立場はありますか？　㊖私は上司だから、私は母親だから

……………………………………………………………………

(3)そこにはどのような考え、もしくは失ってはいけない評判がありますか？　㊖馬鹿にされたくない、良い母親だと思われたい

……………………………………………………………………

●よくある「人気の」チャットボットのチェックリスト

	オニオンの皮 （つい言ってしまう反応）	あなたの立場／考え	
1	なぜこんなに売り上げが悪いんだ	経営者／能力がある	
2	なぜ間に合わなかったの？	上司／部下を管理したい	
3	早く勉強しなさい	親／子供をしっかり育てる	
4	男／女のくせに	男・女／これができて当然だ	
5	店員のくせに	客／お金を払っているから当然だ	

まとめ――３つのオニオンの皮

ここまで見てきたように、私たちは３つのオニオンの皮をつけたまま生きてきました。これらの皮は、私たちが無茶なことをして危険な目に遭って傷ついたりしないように、脳が私たちを守るために最も良いと考えられる反応を自動で生成してくれているものです。考えるよりも素早く状況を理解し、過去の経験から最も適切な行動をとってくれています。

この機能は身の回りがいつも危険であふれていた大昔の人類にとって、とっさの判断で危険を回避するのにとても役立ちました。しかし、人が集まって組織を作り協力し生活している情報化社会の現代では、この生存のための機能が止められない機械となって暴走しています。私たちの脳は、あふれる情報の中で、ほとんど自己保存や自己防衛のために処理能力が使われ、常にフル稼働状態にあります。これでは更なるパフォーマンスの向上は期待できるはずもありません。

オニオンの皮を捨てることで、あなたの脳の機能を大事なことに使えるようになったなら、あなたの未来はどうなるでしょうか？

また、あなたが組織全員のオニオンの皮をむくことができれば、その組織はどうなるでしょうか？

あなたがオニオン・リーダーとなって組織を変革する、その可能性を考えるだけでわくわくしませんか？

1-4 マネジャーとリーダーの違い

みなさんはマネジャーとリーダーの違いについて明確でしょうか？

端的に言うと、マネジャーは、目標を設定し、実行をコントロールします。時には自ら問題を解決し、予測可能な結果を出すため管理をするのが役目です。

これに対してリーダーは、みんなが不可能であると思われるような高い目標を設定して、みんなを同じ目標に向かわせます。モチベーションを高め、元気づけ、達成が困難な目標を実現するために行動を変えさせることが役目です。

	マネジャー	リーダー
目標	目標を**設定**する	同じ目標に**向かわせる**
実行	実行を**コントロール**する 問題解決をする	最高のパフォーマンスを発揮できるように**モチベーション**を持たせ、元気づける
結果	**予測可能な目標を達成する**	達成が困難な目標を達成するために**行動を変えさせる**

オニオンでたとえるのであれば、マネジャーは紫タマネギです。ご存じかどうか分かりませんが、紫タマネギの皮はどこまでむいても紫です。マネジャーが出す指示や、タスクの管理はある程度マニュアル化することができ、繰り返される業務の遂行にマネジャーは必要な存在です。しかし、有能なマネジャー

がどれだけたくさんいたとしても、リーダーが不在の組織では、予測可能な目標しか達成することができません。組織が持つ真の力を発揮し、想像を超えた高い目標の達成や、他に類を見ないような高いパフォーマンスを実現するにはリーダーが必要不可欠です。しかしリーダーはほとんどの組織において足りていません。

マネジャーはこれまでの個々の業務や経験の延長で十分に遂行することができます。自分が今までやってきた、もしくは他の人のやり方をまねて組織を管理すれば良いのです。しかし、リーダーはこれまでの経験の延長でリーダーシップを発揮することはできませんし、誰かのまねをすることもできません。それではリーダーになるにはどうすれば良いのでしょうか？　リーダーになるためには特別な訓練が必要です。マネジャーのままリーダーシップを発揮しようとしてもうまくいきません。ここが陥りやすい落とし穴です。

これはハーバード・ビジネススクールでも「この２つはまったく別の役割で両方必要である」と教えています。マネジャーとリーダーの違いをしっかりと理解し、それぞれ別の役割であることを理解しましょう。マネジャーとリーダーを１人でこなさなければならない、実際にそのような状況にある方が多いかもしれません。この場合は１人二役になることで掛け持ちということになります。

1-5　脳は私たちを支配する（脳は現実を隠す）

私たちは驚くほど脳を信頼しています。そのせいで、あなたには当然であるものや質問に値しない明白なことには注意を払いません。つまり人は、当然を超えて見ることはしないのです。あなたがたった今、目で見ていると思っているのは実は脳が処理した情報であり、脳があなたに見せているものなのです。脳が隠している現実があるのです。

これを理解する例をたとえてみます。あなたは山でキャンプをしているとします。朝になって起き、入り口のファスナーを開けると、いきなり熊が牙をむいています。

あなたの体は瞬時に恐れに反応し、心臓は早く打ち、素早く対応できるよう、筋肉にたくさんの血を流して行動の準備をします。実はこのような体の反応は、人間が恐怖という感情を感じる前にすでに起こっていることが分かっています。つまり人は、考えてから行動しているのではないのです。考えるよりも早く周りに起こる出来事に反応しています。これを私たちは直感的に理解することができません。それは、私たちの行動は、意識や感情、性格、体の感覚の状態の結果として生じると考えられているからです。

マックス・プランク研究所の研究者がfMRIを利用して行った脳研究によると、被験者が判断を下す７秒も前に、脳の活動でその判断の内容を「予告」できるといいます。（https://www.wired.com/2008/04/mind-decision/）

７秒前のあなたの脳をしらべると、７秒後に何をするかが予想できるというのです。例えば、あなたが喉が渇いたからお水を飲みに立ち上がろうと今思ったとします。それは７秒前に脳が指令を出して準備万端ととのってから、「あ、なんだか水が飲みたいな」とあなたは思うのです。私たちの意識は脳が作っていることになります。なんだか不思議な気がしませんか？

また、あなたが見ているのは目で見ている情報そのものではありません。あなたの脳の視覚皮質に入る情報の20％は目からの情報ですが、あとの80％は脳から与えられる情報なのです。

あなたには驚くほどありのままの現実が見えていません。例えば、あなたは住み慣れた我が家にいるとき、どこに何があるのかをだいたい把握しています。当然あると考えているものはそこにあるように見えているだけです。朝食を食べている時、あなたには周りがほとんど見えていません。窓の外に目をやって今日は晴れそうだなとか、朝刊の見出しに目を通しながら、今日は何をしようかと、あなたは考えている。通勤の途中も周りの人は見えていません。あなたが意識しないものは、ただ目の前を通り過ぎていくだけです。

しかし、もしあなたが100％未来を言い当てる有名な占い師に昨日会い、「明日出会う人が運命の人です」と言われたとします。あなたは朝起きてから夜寝るまで、出会う人を意識するでしょう。いつもは無意識に通り過ぎる通勤途中に出会う人でさえも一生懸命に観察するかもしれません。

目から来ている情報が20％だとして、残りの80％はあなたの脳から来ています。脳はあなたが目で見ている情報と過去の記憶を照合しています。例えば、あなたが何かを見て怒ったとしましょう。これは脳の反応のパターンです。あなたは気が付いていないかもしれませんが、前回もほぼ同じような状況で怒っていませんか？

これはカッケの検査のような反射の反応であり、自動的に起こります。あなたの脳にあらかじめセットされた行動のパターンなので、よく考えると、なぜ怒っていたのか分からないくらい、あなたがこれを自分で認識するのはとても難しいのです。

しかし、脳が自動的に反応パターンを作っているということが分かれば、「あれ、待てよ。そういえばこの前もこんな状況でこんな反応をしていたな」と、行動パターンの認識ができるようになります。残念ながら、脳の反応を変えることはできませんが、インパクトを軽減することで、決まった行動パターンから解放される可能性が出てきます。

リーダーが認識しておくべきことは、脳が現実を隠し、見えていないものがあるということです。それが分かれば、もしあなたに同意しない他の人がいたとしても、「自分には見えていないものが見えているのかもしれない」と、その人の意見を建設的に聞けるようになります。また、過去の記憶から作られている行動パターンがあると知ることで、脳の支配から逃れ、過去による制限を超えることができるようになります。

1-6　脳は私たちを支配する（脳は未来を予言する）

　私たちの脳は未来を予言します。この未来の予言があなたに制約を与えます。これはあなたが幼い頃に作り出したもので、起源はとても感情的な出来事（脅威、ショック、ストレス、戸惑い）であると考えられています。あなたにはこの出来事が起きた時、自分に言った言葉があります。これが後にあなたの未来の予言として機能します。そこには、あなたにとって人生がどのようなものであるかという基準や、この世界はどのようなものかという概念が含まれています。

未来の予言の起源①──「この世界は危険だ」

　私たちは子供の時にさまざまな失敗をします。子供であるから失敗するのは当然のことなのですが、子供にとって他の人から自分の失敗を指摘されることは一大事で、生存が脅かされるのではないかと考えます。そして、その時初めて「この世界は危険だ」ということを習得し、同時に自分の未来を予言します。例えば「失敗は隠せ」のような予言です。そして、この時から「失敗は隠せ」があなたの人生を生き抜く戦略となります。子供が「自分はやっていない」とウソをつくのはこの予言の証拠です。そして、この戦略は大人になっても存在し続けます。そして、何か失敗をするたびにそれを隠そうとし、「やっぱりこの世界は危険だ」と未来の予言への信頼を高めていきます。

未来の予言の起源②——「私は属していない」

思春期の頃に「何かに属する」ことはとても重要な問題です。それは何かに属していないことは「この世は危険だ」に直結するからです。私たちはまず幼い頃は家族という組織に属しています。この頃はまだ幼いので組織に属していることに疑問を持ったりしません。思春期の頃になると、私たちは社会性を学び始め、家族以外の友達や学校など他の組織に所属しようとします。この頃に所属のシフト、つまり家族以外の組織に受け入れられる経験を持たないと、自分は社会的に不自由な存在であると考えるようになり、ここから「私は属していない」が未来の予言となります。

そこから起こるすべての事象に「私は属していない」が条件として追加されます。そして、「属している」、「属していない」に過敏になります。あなたはすでに「属している」組織があるにもかかわらず、あたかも組織に属していないように見てしまうのです。そして、どれだけ親しい友人と家にいてリラックスしたとしても、「私は属していないのではないか」という予言が現実になるのを待っているのです。

未来の予言の起源③——「何かが足りない」

私たちは子供の頃に理想の姿があります。例えばクラスで人気者の○○さんを見て自分もあんなふうになりたいと思っています。もしくは頭が良い△△さんを見て、自分もあれくらいテストで良い点をとってみたいと思っています。しかしあなたは、自分は賢くないから、なりたくてもなれない、と思います。これは子供にとっては大きな脅威です。

そこでその状況を補うために自分に対して、「人気者になれないから、□□をしなければならない」という未来の予言をします。このようにしてあなたが闘うことのできる勝ちパターンを作ります。それからこの勝ちパターンは、一生あなたの無意識のレベルに存在するようになります。

この未来の予言と勝ちパターンの例を表にしてみましたので、参考に探してみてください。これらはあなた固有のもので、人によって違うので、必ず当てはまるとは限りません。

未来の予言	勝ちパターン
私は人気がない	成績が良くなければならない
私はここに属していない	周りに合わせなければならない
私は見てくれが悪い、私は醜い	勉強ができなければならない
私は賢くない	体力で負けてはならない
私は十分でない	良い子でいなければならない
私は彼／彼女のようではない	彼らとは違う世界で勝たなければならない
彼らは私を理解してくれない	１人で生きていかなければならない
彼らは私を子供扱いする	自立しなければならない
無駄だ、絶望だ	高望みしてはならない
人生はフェアじゃない、人生は難しい	保守的に生きなければならない

この勝ちパターンは、あなたの強みとしてアイデンティティに追加されます。この未来の予言に囚われていることにあなたは気づかないため、そこから逃れようともしません。

筆者の「何かが足りない」は、「私は人気がない」でした。そして、自分に課した勝ちパターンは、「人一倍努力をしなければならない」でした。そして、この人一倍の努力をするという勝ちパターンのおかげで、勉強を続け、結果としてハーバードまでいくことができたのです。しかし、卒業しても、満足感というのは一時的で、また次の勉強を始めてしまいますし、頑張りすぎて燃え尽き症候群になったことが何回もあります。また、ジョギングにのめりこみすぎて、体脂肪が８％を切った時に耳が聞こえなくなったこともあります。お医者さんに診てもらうと耳の神経の周りの脂肪がなくなると聞こえなくなることがあるのだそうです。いい加減にしなさいと注意されました。私たちにとって勝ちパターンは強みでもあるのですが、度を越してやりすぎてしまいがちです。未来の予言は常に私たちを脅かしているのです。

未来の予言から逃れることはできるのか？

これら３つの未来の予言から逃れることはできません。しかし認識することで、未来の予言の拘束をゆるませることは可能です。そのためには、あなたがどのようにして今のあなたになったのかを探してみましょう。その時にどんな出来事があり、どんな未来を予言したのか、自分を探求していきます。そして、今はもうその脅威は存在しないのだと気づくことが必要です。あなたが今のあなたになったことに悪いことは１つもないのですから、これまであなたという存在を守り磨いてくれた未来の予言を尊んでください。

1-7　モチベーション低下のメカニズム

リーダーシップとモチベーションには密接な関係があります。モチベーションはパフォーマンス、アイデア、態度、サポート、成功、ゴールに影響を与えます。モチベーションはいくつか複数の要素によって増えたり減ったりします。ここでは、それぞれの要素とオニオンの皮がモチベーションにどのように影響するのかを一緒に考えていきましょう。

①扱われる環境

まず１つ目は、大勢の中の１人と扱われるか、あなた個人として扱われるかという環境です。オニオンの皮はそれにどのように反応するでしょうか？　大勢の中の１人として扱われる場合、状況がオニオンの皮によって「どうせ私１人が頑張っても意味がない」、「どうせ私は重要ではない」と見えやすく、これに対し個人として扱われた場合は、「私の貢献が重要である」と見えます。

基本的に人は、重要でないことはやりません。どう扱われるかがモチベーションに影響するのは、それがその人にとって重要であるのか、そうでないのかを表現しているからです。つまり組織がどのような大きさであれ、その人が「私の貢献は重要である」と思っていれば、その人のモチベーションは高く保たれます。

②ギャップ

2つ目はギャップです。人は自分が予想していたことと現実のギャップを感じることによってモチベーションが低下します。

まず、パフォーマンスの定義についてのギャップがあります。これは「良いパフォーマンスとは何か」が定義されていないために起こります。例えば「とにかく頑張って売り上げを上げましょう」と言われていたとして、本人にいくら売り上げを上げれば良いのかが分からない時はどうでしょうか？　「何をどこまでやればいいの？」という音声ガイドの声がして、コンタクトレンズによって「きちんとした目標が与えられるべきであり、自分は悪くない」という意味が付けられ、モチベーションが下がるのです。

次に、スキルについてのギャップです。それは、「自分はこれしかできない」と思っている限界を超えて目標が与えられた場合に生じます。例えば、自分の今の実力では目標は1億円が妥当だと思っているのに2億円の目標が与えられたらどうでしょうか？「こんなの私にできるわけがない」という音声ガイドの声がして、コンタクトレンズによって「適正な目標が与えられるべきだ、達成できなくて当然だ」という意味が付けられ、目標を追いかけることをやめてしまいます。

最後に、評価についてのギャップです。例えば、ある製品の売り上げを一生懸命伸ばして2億円を達成したとします。しかし実は求められていたのは2つの製品をそれぞれ1億円ずつ売ることが目標だったと後から知ったような場合です。結果として１つの製品しか売らなかったため評価されなかったとしたら、どうでしょうか？

「せっかく一生懸命やったのに」という音声ガイドの声がして、コンタクトレンズによって「自分は正しい」という意味が付けられ、それが態度に表れてきます。

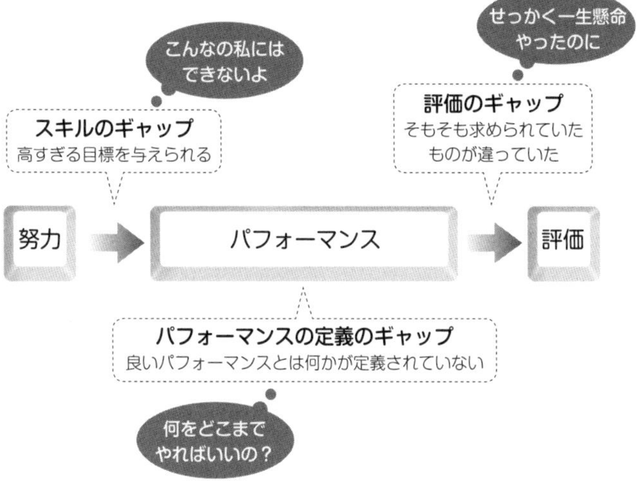

③正当性

正当性とは、他と比べて正当かどうかというものです。例えば、自分がグループ内で一番多く100万円のボーナスをもらった場合と、自分がグループ内で一番少なく200万円もらった場合、前者はモチベーションが上がり、後者はモチベーションが下がります。これは「正当でない」と見えることで「あの人より自分は頑張ったのに不公平だ」という音声ガイドの声がして、コンタクトレンズが「自分は正当に評価されるべきだ」という意味が付けられるためです。

このようにモチベーションはオニオンの皮と密接な関係があ

ります。コンタクトレンズと音声ガイドの声があなたのモチベーションを増減させているのです。もしあなたのモチベーションが低いのであれば、これら3つの状況のいずれかがないかを考えてみてください。もし当てはまるものがあれば、そこにどのようなオニオンの皮があるのかを発見することができるかもしれません。また、組織全体のモチベーションが低い場合にも、同様にこのようなオニオンの皮が作る意味が組織全体に広がっていないかを考えてみてください。

1-8　オニオン・リーダーの法則
――パラダイムシフトとは

パラダイムとは「概念」という意味です。難しい言葉ですが簡単に言えば、「あなたが世界をどのように認識しているか」ということです。よく耳にする「パラダイムシフト」とは世界の認識が変わることです。パラダイムシフトの有名な例としてガリレオの地動説があります。地動説の前までは、地球は止まっていて天が動いているのだと考えられていました。人々はそのように世界を認識して夜空を見上げていたのです。

しかしニュートンの万有引力の法則によって地動説が証明されると、地球が動いていて太陽の周りを回っていることが正しい認識となり、私たちは今当然のようにそれを知っています。私たちは世界の認識を変えることで、それ以降まったく違う認識の世界に生きているのです。

パラダイムが変わっても世界は変わらないが、その科学者はそれ以降、違う世界で生きていくだろう。

（トーマス・クーン、1962年）

リーダーシップについても、同じようにパラダイムシフトがあります。オニオンの皮をむいた時点であなたの世界の認識は一瞬にして変化します。そして、それからあなたはこれまでの世界とはまったく別の世界で生きていくことになります。この一瞬にして、というのが大切なポイントです。

ニュートンの万有引力の法則

$$F = G\frac{m_1 m_2}{r^2}$$

F（Force）：引力

G（Gravitational constant）：万有引力定数 6.6720×10^{-11} (Nm^2/kg^2)

m_1（Mass 1）：質量 1

m_2（Mass 2）：質量 2

r（radius）：極半径

ニュートンの万有引力の法則はこの数式によって表されます。リンゴが木から落ちるという不思議な現象を、私たちはこの数式によって重力の仕組みとして理解することができるようになりました。この法則は、リンゴが落ちる不思議な世界から、重力による落下というように、私たちは世界の見方を一瞬にして変えました。そして、一度パラダイムシフトが起きたならば、それは二度と元には戻りません。

リーダーシップに法則があるとすれば、みなさんはそれはどんなものだと思いますか？

これからオニオン・リーダーとオニオン・リーダーシップの法則を説明し、みなさんをまったく別の世界へ導き、一瞬にしてみなさんにパラダイムシフトを起こしたいと思います。

構成要素はアルファベットのAからHまでの8項目です。とはいえ、要素だけで理解するのは難しいので、ここではこのような要素があるということだけを覚えてください。後の章でそれぞれを詳しく見ていきます。

Area：自分の範囲
Base：立つ場所
Communication：コミュニケーション
Declaration：宣言
Existence：存在
Future：未来を創る
Give up on fake-self：ニセモノの自分を手放す
（本物の自分になる）
Harmony：調和

リーダーとリーダーシップは以下のように定義します。

リーダーは、自分1人で行うこと（演習は自分1人で行う）。
リーダーシップは、他の人へ行うこと（演習は他の人と一緒に行う）。

オニオン・リーダーの法則

オニオン・リーダー＝E×（A＋B）

オニオン・リーダーの要素
E（Existence）：存在
A（Area）：自分の範囲
B（Base）：立つ場所

オニオン・リーダーの法則の構成要素として、まずExistence（存在）があります。この「存在」とはリーダーの言葉、行動、態度で構成されている他の人がそのリーダーに対して持っている象徴のイメージです。あるリーダーを見ると、それはその人そのものではなく、その人のイメージであることが分かると思います。このイメージは言葉、行動、態度などを総合したもので、その人があなたにどう見えているかということを表しています。

次は、Area（自分の範囲）です。これは自分という１人の人間の枠を超えて、複数人、もしくは組織全体が私であるという自己の範囲の規定です。

最後に、Base（立つ場所）があります。これは「私が選択をして生きている」という、「あなたの土台」である立つ場所の宣言です。

オニオン・リーダー＝E×（A＋B）

A＋**B**＝意思項

この3つの関係で、Area（自分の範囲）とBase（立つ場所）については、リーダーの意思で規定するもので、「意思項」としてまとめ、足し算で表しています。それにExistence（存在）が掛け合わされているのは、リーダーの存在がプラスに働く時もマイナスに働く時もあるからです。例えば、恐怖を与えるリーダーであれば、その人がどれほど強い意志を持っていたとしても、マイナスに働きます。

オニオン・リーダーシップの法則

オニオン・リーダーシップ＝C×（G＋H）×（F＋D）

オニオン・リーダーシップの要素
C（Communication）：コミュニケーション
G（Give up on fake-self）：ニセモノの自分を手放す
F（Future）：未来を創る
D（Declaration）：宣言
H（Harmony）：調和

オニオン・リーダーシップの法則の構成要素には、まずCommunication（コミュニケーション）があります。コミュニケーションはリーダーシップを発揮する手段です。あるリーダーのコミュニケーションがゼロの場合を考えてみてください。そこにはリーダーシップは存在しません。また、コミュニケーションが多くなれば、それだけリーダーシップも大きくなります。

オニオン・リーダーシップ＝C×（G＋H）×（F＋D）

G＋H＝信頼項

次に、Give up on fake-self（ニセモノの自分を手放す）とHarmony（調和）は信頼についての要素です。これらは「信頼項」として一緒に扱います。リーダーが偽りのない本物の自分であることと信頼から生まれる組織の調和は、共にリーダーシップに対してプラスに働きます。また、リーダーが自分の本当の姿ではなく、誰かを演じている場合や、組織に信頼がなく、調和がなければ、リーダーシップは小さくなります。

オニオン・リーダーシップ＝C×（G＋H）×（F＋D）

F＋D＝未来項

最後に、Future（未来を創る）とDeclaration（宣言）は、未来に関わり「未来項」として一緒に扱います。組織に「この未来は実現するのに値する」という未来を創ること、そして、それを実現するための宣言をすることがなければ他人事となりリーダーシップは働きません。

第2章
オニオン・リーダーの要素

第２章では、あなたのリーダーシップを変えていくためにそれぞれのオニオン・リーダーの要素を見ていきましょう。それぞれ演習がありますので、必ず実践しながら、読み進めてください。これらの演習を通じてあなたはリーダーシップという自転車に乗ることでリーダーシップを体得していきます。さあ、ここからあなたのオニオン・リーダーへの変革を始めましょう！

2-1　Existence（存在）——リーダーとは存在である

リーダーとはどのような存在なのでしょうか？　あなたはリーダーを見て、その人のリーダーシップがどこにあるのかと聞かれたとしたら、どう答えますか？

例えば、ドイツのメルケル首相は、コロナ禍で、いち早く国民に状況を説明し、強いリーダーシップを発揮しました。ドイツ国民に彼女は「明確に要点を話す人」、「素早く行動する人」、「信頼できる態度」と映りました。

ここから分かることは、リーダーとはその人の「存在の在り方」のイメージであり、その人の存在自体がリーダーの実体です。では、リーダーのイメージはどのように作られるのでしょうか？　それはコミュニケーションの中でです。コミュニケーションとは、その人が話す言葉だけでなく、その人の行動、態度、表情などに表れるものも含みます。そしてそれは、受け取る人によってさまざまです。ある人には「こういう存在」であっても、他の人には違うように見えます。厳密に言えば100人に聞けば100通りのリーダーのイメージがありますが、共通して認識されているものがあります。これにはそのリーダーの「存在の在り方」が関係しています。存在の在り方とは、ある状況でのその人の内部の状態です。以下の４つのことを言います。

①精神の状態（ムード、人生の見通し）
②感情の状態
③態度、体の状態（体感、体の内部の機能）
④考え、思考プロセス（残っている思い出）

私たちは普段これらをほとんど気にしません。例えば、あなたはイライラしている時があります。あなたはお腹が空いていて、イライラしているのかもしれません。お腹が空いたという体の状態はあなたの内部で起こることであって、あなたの外で起きていることではありません。そして、時間とともに変化します。あなたがあなた自身だと思っているものも、他の人があなただと思っているものも、この存在の在り方なのであって、実際のあなたではありません。

例えば、あの人は最近冷たいとあなたが感じたとします。しかし実は単に寝不足が続いているだけなのかもしれません。ここで大切なのは、あなたがあなたと思っている人は、あなた自身ではないかもしれないということを発見することです。

あなたは自分の在り方に気づいていない──自信のない受験生の例

以前、ある海外の大学院入試で受験生の面接の練習をしていました。彼はとても英語が上手であるにもかかわらず、いかにも英語が得意ではないように見えました。このままでは面接官の印象がいいはずはありません。たとえ英語がしっかりしていても、自信がないように見えると、評価は低くなってしまいます。

私は次のようにお願いしてみました。

「今から、ある役を演じてもらえませんか？　あなたは面接官と同じ国の出身で、今は日本に住んでいるという設定です。もし面接官と同じ国の出身であれば、最初にいろいろと雑談したり、質問したりしませんか？」

しばらくして彼は、「今日はお時間をいただきましてありがとうございます。昨日は緊張して眠れませんでした。あなたにもそのような経験はありましたか？」と、まず質問から入ったのです。すると彼は、その後、嘘のように流暢《りゅうちょう》に英語を話すことができました。

英語が苦手だと思い込んだことで生じた彼の感情が、彼を自信のない人に見せていました。面接官が同郷であったらという設定から、面接官も人であり、そもそも言葉の壁を乗り越え、コミュニケーションすることは難しいことなのだと、考え方が変わったのです。その後彼は、面接を乗り切り、見事合格しました。

あなたの存在の在り方は情緒、感情、感覚、考えのコンビネーションで引き起こされます。つまり、あなたの内部の状態とあなたの存在には相関があります。つまり自信があれば、自信のあるように振る舞い、自信がなければ躊躇《ちゅうちょ》するように振る舞うのです。ジャック・ウェルチ氏は自身がGEのCEOになる時にこのように書いています。

　会長になるまで実にさまざまな経験をしてきたとはいえ、現実には口で言うほど自信があるわけではなかった。はた目には自信たっぷりに見えていたため、私も知っている人に言わせれば自信満々、自意識過剰なほどで、決断力に富み、動きがすばやくたくましい男と表現しただろう。

（ジャック・ウェルチ『わが経営』）

そこまで自信はなかったが、はたから見れば自信たっぷりに見えていたとあるように、彼は他の人からの見え方を知っていたのです。

また、モスバーガーの創業に参画した櫻田厚氏は存在の在り方について次のように述べています。

　つねに人から学ぼうという謙虚さをもつ。謙虚になるためには、表情と態度と言葉づかいの３点セットが必要です。

（櫻田厚『いい仕事をしたいなら、家族を巻き込みなさい！』2014年）

リーダーの存在の在り方は、無意識のうちにその人の表情や態度、言葉遣いに出ています。

ここからあなたの存在の在り方を探していきましょう。あなたの苦手な人が目の前にいると想像してみてください。あなたに決まった存在の在り方はありますか？

①精神の状態（ムード、人生の見通し）
②感情の状態
③態度、体の状態（体感、体の内部の機能）
④考え、思考プロセス（残っている思い出）

苦手な人と対峙する時、私には次のような決まった存在の在り方があります。

①居心地が悪い感じがする
②平気なふりをする
③目をそらす
④この人は前に私の話をぜんぜん聞いてくれなかった

あなたがこのような存在として相手に見えているとすると、相手もあなたのことを話しにくい苦手な人だと感じているかもしれません。

次の演習をやってみましょう。あなたが職場で関係する人（上司、同僚、部下）それぞれにとってのあなたの存在の在り方を探してみましょう。

リーダーシップ演習①──存在の在り方を探す

(1)あなたの状況は？　(例)いつも仕事が遅い部下Ａさんがいる

(2)あなたがいる環境は？　(例)経営者として会社のパフォーマンスをあげなければならない

(3)あなたの存在の在り方は？

(例)精神の状態：気になる

感情の状態：イライラする

態度の状態：眉間にしわがよる

考え、思考プロセス：彼はパフォーマンスをあげようとしない怠け者である

精神の状態

感情

態度

考え

(4)そこにあなたはどのような意味を付けていますか？

(例)彼はもっと努力すべきである（と自分は思っている）

ここで(4)の答えに注目してみてください。あなたの存在の在り方には、あなたが付けている意味があります。例えばこの例では、その人には、「もっと努力すべきである」という意味が付いています。このようにあなたに見えているため、あなたは(3)のように反応しているのです。つまり、彼はもっと努力すべきであるという、「○○すべき」があなたの存在の在り方を作っています。

第１章で見てきたように、この反応はあくまであなたのオニオンの皮が作り出しているのであって、あなたの考えではありません。彼は本当にいつも仕事が遅いのかと考えてみると、実は早いこともあったかもしれないのです。そして、オニオンの皮があったと認識できたならば、そこには「会社の業績を上げなければいけない」という自分自身の焦りを見つけるかもしれません。

もし本当に彼の仕事が遅かったとしても、彼の仕事に対するモチベーションが低いだけかもしれません。もしくは今の仕事が、彼が能力を発揮できる適正な配置ではないのかもしれません。本来あなたがイライラする理由はここにはないのです。あなたの「○○すべき」という思考が作り出している感情にすぎません。

この演習を使ってあなたの周りの人にとっての自分の存在の在り方と、それに付いている意味を見つけてください。それらは今まであなたが考えていた自分の姿とはずいぶん違っていることを発見するでしょう。

2-2　Area（範囲）――どこまでが私なのか？

組織の中で、あなたという存在はどこにあるでしょうか？

もし私があなたに、あなたはどこにいますか？　と聞いたとしたら、あなたは「ここにいます」と答えるでしょう。たしかに、この「ここ」という場所にはあなたしかいません。あなた以外のものは「ここ」以外の場所、つまり「そこ」や「あそこ」にあります。この表現において私と私以外の境界は明確に存在しています。実はこの境界はあなたが勝手に決めることができるのです。ハーバード・ビジネススクールでは「〈I to We〉の変革」、つまり「私から私たちへの変革」と教えていました。「私とは私である」から「私とは私たちである」への変革、つまり「私」を、「私」から「より大きな範囲の私」と規定するのが、オニオン・リーダーへの変革です。

もしあなたが、会社全体や組織全体を「自分」だと考えたとしたら、どうなるでしょう？　組織のミッションやビジョンはあなたの信条や未来となり、組織の在り方と自分らしく生きることとがまったく同じになるはずです。「組織イコールあなた」なのですから、あなたが究極的に自己中心的であればあるほど、組織の全体を考えていることになります。あなたは、すべてを自分のこととして捉えるからこそ、その組織を率いて最高のパフォーマンスを生み出す、力強いリーダーとなれるのです。

人は「私」を、リーダーとして、より大きなものとして規定することができるのです。あなたは、もしかすると人類全体を「私」と規定することができるかもしれません。そして、「私」の範囲を拡大することは実はあなたに大きな犠牲を強いることではありません。

稲盛和夫氏は著書の中で、自身で描いた夢以上に大切な目的があると書いています。

> そもそも私は技術者として夢を実現するために会社を起こしたのだが、いざ会社を創業してみると、社員は自分の一生を託して入社してくる。だから会社には、私の夢の実現以上に大切な目的がある。その目的とは、従業員やその家族の生活を守り、その幸せを目指すことなのだ。私が先頭に立って、従業員の幸せを目指すことが、私の運命なのだ。これにより京セラは、全従業員の物心両面の幸せを追求し、世のため、人のため貢献する会社としてその存在意義が明確となった。
>
> （稲盛和夫『アメーバ経営――ひとりひとりの社員が主役』2006年）

また、日本IBMの椎名武雄氏は著書で、外資系企業の社長の役割は、日本という国を知ってもらうことと書いています。

> 「セル・IBM・イン・ジャパン、セル・ジャパン・イン・IBM」というフレーズが浮かんだ。最初は思い付きだったが、そのうち、日本IBMの社長の役割はこれしかないと自

信がわいてきた。「セル・IBM」というのは、IBMの優れた経営理念を日本に伝えるという意味で、日本IBMは機器やソフトを日本に売るだけの会社ではないということだ。「セル・ジャパン」というのは、米IBMの人たちに日本という素晴らしい国を知ってもらうこと。

（椎名武雄『外資と生きる：IBMとの半世紀――私の履歴書』2001年）

このように、自分を社会や国といったより大きなものと規定することで、リーダーの存在は組織の隅々にまで行き渡るのです。

また、この考えがもう１つリーダーとしての存在に影響を与えます。リーダーは組織の中で他を引き立たせる存在であるということです。つまり、自分が組織全体であれば、組織のパフォーマンスを最大限に生かすには、他の人のパフォーマンスも最大にしないといけないと自然に考えるようになるからです。これは全員がリーダーとなってリーダーシップを発揮するということです。

本田技研工業（通称ホンダ）の創業者である本田宗一郎氏は全員参加について、次のように書いています。

私はつねづね従業員は全部経営者である、だから経営に参加する権利と義務があると言っている。生産調整をしなければならぬようなときにも、はっきり実情と今後の対策を明示して全社員がいっしょに困難を克服することにして

いる。こういう姿が真の労使一体というのではないかと思う。　　　　（本田宗一郎『夢を力に――私の履歴書』2001年）

また、孔子は良いリーダーについて、次のようなことを言いました。

もしあなたが、多くを語らない良いリーダーであるなら、あなたの業が成って目標が達成された時、彼らはいうだろう、「われわれはそれを自分でやった」と。　　　　（孔子）

つまり、リーダーは自分よりも大きな存在を与えます。リーダーはヒーローです。リーダーは個人的な名声、ポジション、権威、お金によって動いたりはしません。リーダーは自分よりも大きなものを自分として、困難な状況にもかかわらず、一生懸命に未来を実現しようとします。その姿に人々が感化され、彼らもまた、自分自身がヒーローとなってリーダーシップを発揮していく。これが全員参加で自走して最高のパフォーマンスを生み出すメカニズムです。

それでは、次の演習であなたの自分の範囲を規定してみましょう。初めは自分が属している一番小さな組織から考えてみてください。徐々にそのスケールを拡大していきましょう。人生の目的が明確になれば、あなたが目指すリーダー像が明確になっていきます。

リーダーシップ演習②——あなたというものは何なのか？

①あなたは今の存在と行動の効率に満足していますか？

はい・いいえ

②あなたよりも大きな何かから存在や行動が与えられていますか？

はい・いいえ

③あなたの人生の目的は何ですか？　あなたのキャリアや人との関係性の目的は何ですか？

目的……………………………………………………………………

……………………………………………………………………………

④これまでのあなたは１人の人間としてここに存在していて、あなた以外のものは別の存在として生きてきました。もしあなたの領域が、あなたよりも大きなものに与えられるとしたら、あなたの範囲は何になりますか？

私の範囲…………………………………………………………………

……………………………………………………………………………

私の答えは次の通りです。この演習を通じて、これまで環境問題や飢餓などの社会問題は他人事だと思っていた自分を見つけました。今では自分により大きな存在を与えて考えることができるようになりました。

①あなたは今の存在と行動の効率に満足していますか？

はい・いいえ（「いいえ」に丸印）

②あなたよりも大きな何かから存在や行動が与えられていますか？

はい（「はい」に丸印）・いいえ

③あなたの人生の目的は何ですか？　あなたのキャリアや人との関係性の目的は何ですか？

目的　日本がもっと世界に貢献できることにお役に立つこと、そして世界の調和をもたらすこと。

④これまでのあなたは１人の人間としてここに存在していて、あなた以外のものは別の存在として生きてきました。もしあなたの領域が、あなたよりも大きなものに与えられるとしたら、あなたの範囲は何になりますか？

私の範囲　人類全体

2-3　Base（立つ場所）――私は自ら選んで私になる

リーダーは「私は自分から選んでリーダーになるのだ」という自己選択の意思が必要です。誰かに「リーダーをお願いします」と言われ場合においても、仕方なくリーダーになったというようでは組織をリードすることはできません。リーダーは与えられた環境、状況、チャレンジに対して「自らの選択で」という場所に立たなくてはなりません。これは言い換えれば、どのような状況においても、「生きることは自分の選択である」という人生に対する向き合い方です。

もしあなたが逆境に陥った時、自分はリーダーとしてこの状況に立ち向かわねばならないと考えるでしょう。そして、状況のせいにしたり、逃げ場がないと考えたりすることで不必要に自分を追い込んでしまいます。しかし、ほとんどの場合、あなたは選択ができるのです。

例えば、あなたは会社の経営者で、予想に反して景気が悪くなり思うように事業が伸びないとします。あなたは景気のせいだと理解はしていますが、自分はリーダーであるのでこの状況に立ち向かわねばならないと一生懸命に自分を鼓舞することでしょう。この考えは悪いことではありません。しかし、この「○○せねばならない」という思いは、あなたに無意識のうちにプレッシャーを与えます。そして、あなた本来の姿でリーダーとして存在することを妨げてしまうのです。

逆境はあなたに与えられた状況であって、それをあなたに与えられた挑戦であると考えれば、その挑戦を受けるか受けないかはあなたが選択できます。そこには常に自ら選択するという自由があるのです。この自由はあなたの選択によってこの状況に立ち向かうわけですから、「よし、こんな逆境の中だからこそ、みんなで力を合わせて事業を成功させるぞ」という力が湧いてくるのです。つまり、あなたの人生の自由な選択があなたに力を与えるのです。

これは事実でもなく、考え方でもなく、ただあなたが立つ場所です。この立つ場所の選択は、なにかしらの理由や外的な要因があなたに選択させているのではなく、選択する主体は「あなた自身」でなければなりません。もし選択したものが外的な要因であるならば、それに対するあなたのコミットメントは弱く、力を持たないでしょう。

組織のリーダーになることは、まずあなた自身の人生のリーダーになることから始まります。そしてそれには、あなたの自らの選択に対して自己選択という明確な意思がなければなりません。

次の演習で人生の選択をしてみましょう。

リーダーシップ演習③──人生を選択する

今やらなければならないと感じていること、もしくはそれをやることに理由があると思うことを３つ書き出してみましょう。

(1)……………………………………

(2)……………………………………

(3)……………………………………

この中であなたが自ら選択してやることだけに○を付けてください。

○を付けたことには何か違う感じがしますか？　状況は先ほどとまったく変わっていません。もし違うように感じる場合は、ムードや気持ち、体感、考えに違いはありますか？　選択したことにより力を感じるでしょうか。あなたが「自分で選択した」という認識だけが変わったことを確認してください。

後輩にこの演習をやってもらいました。

(1) 仕事
(2) 英語の勉強
(3) MBA

(3)に○を付けてから、MBAが辛いと感じていたのになんだか力が湧いてきましたと話してくれました。

私も会社を経営して悩んだり、迷ったりすることがあるたび、この演習で○を付けると不思議に力が湧いてきます。

ここまでのオニオン・リーダーの法則の3つの要素と演習を通してあなたのリーダーとしての存在が確立できてきたと思います。あなたはリーダーとしての準備が整いました。第3章からはいよいよオニオン・リーダーシップを発揮して全員参加で最高のパフォーマンスを出す組織を作っていきましょう。

第3章 オニオン・リーダーシップを発揮する組織作り

3-1　Communication（コミュニケーション）
——リーダーシップはコミュニケーションの中にある

コミュニケーションのチャネルを開く

リーダーはコミュニケーションを使ってリーダーシップを発揮します。このコミュニケーションとは直接話をすることはもちろんですが、行動や態度などもコミュニケーションです。時に行動は言葉よりも大きな声であなたの言いたいことを伝える力があります。

リードされる人を考えてみてください。彼らもまた（あなたと同じように）、オニオンの皮をかぶっています。あなたがいくら自分の言いたいことを一生懸命に話したとしても、オニオンの皮越しに聞いている相手にほとんどあなたの本当の言葉は伝わっていません。なぜ部下は自分の話を聞かないのだろうか？シンプルな答えは、彼らが話を聞かないのではなく、話が聞こえていないのです。

ですから、コミュニケーションをする前に、まずリーダーがやることは彼らとのコミュニケーションのチャネルを開くことです。コミュニケーションのチャネルを開くというのは、彼らときちんと意思疎通ができるように新しく電話回線を引くことです。

順を追ってこのプロセスを見ていきましょう。コミュニケーションのチャネルを開くには、まずあなたが話をするのではなく、相手の話を聞きます。そして、その聞き方にリーダーシップが存在します。そこには、あなたの立場や、見解、意見、評価、審判などオニオンの皮が付ける意味をなくした状態で、つまりオニオンの皮をむいた状態で相手の話を聞くことです。オニオン・リーダーはすべての話をただその話される言葉をありのままに聞くことです。これを「完全な聞く」と呼ぶことにしましょう。この「完全な聞く」は話している人にちゃんと聞いてもらったという経験を与えることです。

相手が話をしています。

- それがどのようなものであるか？
- なぜそうなのか？
- 何が間違っているのか？
- 解決策は何か？
- どのように願うのか？
- 未来への夢はあるか？
- 心配事は何か？
- 怖い未来は何か？
- 今与えられている未来はどのようなものか？
- 一生懸命目指している未来はどのようなものか？

こういうことをすべて聞きます。そして、相手が経験したことを自分のこととして、ありありと再現して聞くのです。これは相手が「合意が得られた」と思うこととは違います。あくまでもちゃんと話を聞いてもらったという経験ですので、間違わないでください。例えば、２人がマグカップの別の側面を見ていることを想像してみてください。あなたが見ている側には取っ手がなく、相手が見ている側に取っ手があるとします。あなたは、この「聞くこと」によって、「なるほど、あなたから見ると、確かに取っ手がありますね」と、相手の観点の妥当性を発見していきます。この「完全な聞く」が必要な理由は、私たちの脳にあるミラーニューロンという機能です。

〈ミラーニューロン〉

- テレビでスキーをしている人を見ると、われわれの脳は鏡のように自分もスキーをしているかのようにその行動をコピーする
- スキーと同じように、話をしている時も、話している人は聞いている人の表情や体勢、動作のパターンをコピーする
- その行動と一緒に誰が聞いていたかを脳に記憶する
- 誰にどのように聞いてもらったか、過去の経験の記憶と照合して一緒に記憶する
- 話を聞いてもらえなかったという経験も同様に記憶として残る

このようにミラーニューロンは、話をしている相手が、どのようにあなたが話を聞いたかを記憶しています。その過去の聞いてもらった経験と照合して、話を聞いている人はどういう人だということを判断します。たとえそれが子供の頃のことであっても、過去に愛してくれた人がどのように話を聞いてくれたかを記憶しています。そして、その記憶と今目の前で話を聞いているあなたとを照合しているのです。

オニオン・リーダーとして話を聞くということは、相手が「ちゃんと聞いてもらった」という経験を記憶に残す聞き方ということになります。話を聞いてもらった人はこの経験から、「このリーダーはちゃんと私の話を聞いてくれた」ということを記憶します。次にあなたが話をする時に、相手の脳で「ちゃんと聞いてくれた人」という経験の記憶が呼び起こされ、今度は相手が「完全な聞く」になり、あなたの言うことをあなたが言った通りに聞くようになるのです。

次の演習で「完全な聞く」を体得しましょう。

リーダーシップ演習④――完全に聞くことをマスターする

この演習は話をする人と聞く人の２人で行います。なるべくあなたと異なる境遇の人（違う考えや同じ立場ではない人）が望ましいです。

1．まず話す人が話題を決めます。どこにいるか、何をしているかなど
2．聞く人はできるだけその人の話を正確に再現しようとするように話を聞きます
   - その場所はどのような場所か
   - 何があったか
   - どのような感情だったか
3．その「聞く」の体験の中から、相手の立場やコミットメントに由来する言葉にある意図を感じ取ります
4．話が終わったら、話した人にその体験がどのようであったかを聞きます。そして、感じ取った意図についてシェアします

話をした相手は「ちゃんと聞いてもらった」を経験できたでしょうか？　この「完全な聞く」の演習は日々いつでもどこでも話をしてくれる人がいれば練習することができます。たくさん練習をして「完全な聞く」をマスターしましょう。

最上級の承認をする

リーダーとして日々行うのが承認です。これは契約書への押印、経費の承認をするというような行為という意味ではありません。ここでの承認とは、あなたの部下が何かを行った後にその行動を認めることです。

承認にはレベルがあるので１つずつ違いを見ていきましょう。

レベル１の承認は、「了解する」ということです。相手があなたに何か伝えることがあり、その内容を理解した時、了解するというのがコミュニケーションの基本的な応答です。これは何も特別なことではなく、みなさんが日々やっていることです。

レベル２の承認は、「感謝を伝える」ということです。これは相手があなたや組織に何かしてくれたことに対してお礼を述べることで「〇〇をしてくれてありがとう」というコミュニケーションの応答です。これも頻度の多い少ないはあると思いますが、みなさんが日々やっていることです。

レベル３の承認は、「貢献を賞賛する」ということです。これは、業務改善や誰かをサポートするなどの組織に対する行動に対して、それがどれだけ大きな貢献であったかを賞賛し、その行動とそれに至るまでのプロセスを承認することです。これはなぜ大切なのでしょうか？　それは、その行動がどれだけ大きい貢献であったのかを本人が理解していないことがあるからです。イソップ童話の「３人のレンガ職人」というお話を例に考えてみましょう。

ある旅人がレンガ積みをしている人に何をしているのですか？　と聞いた。

職人Ａは、「見れば分かるように、レンガを積んでいるのさ」と答えた。
職人Ｂは、「壁を作っているんだ」と答えた。
職人Ｃは、「歴史に残る大聖堂を作っているんだ」と答えた。

職人Ｃに大変ですねというと、「とんでもない、ここで多くの人が祝福を受けるんだ。素晴らしいことをしているんだ」と答えた。

つまり、これら３人の職人はレンガを積むという同じ作業をしていても、自分がどのような貢献をしているのかが分かっているのと、そうでないのとでは、まったく違って見えるのです。

レベル３の承認は、例えば、このような会話になります。

「○○さんが考えてくれた△のおかげで、社内業務の処理の効率が上がって□を達成することができました。これまでの業務改善への取り組みを承認します。素晴らしい貢献です」

この承認は何も特別なことでなくてもかまいません。例えば何かコミットメントしたことを達成した時なども承認の機会です。

「あなたのタスクが期日通りに進められたおかげで、プロジェクト全体が円滑に進んでいます。業務が重なって大変な中、約束の期日を守ったことを承認します」

この承認の頻度は基本的には多ければ多いほどリーダーシップには良い方向に働きます。また、メールではなく、対面や電話で伝えるのが望ましいでしょう。

前出の櫻田厚氏は、直接のコミュニケーションの重要性について著書に次のように書いています。

> いちばん理想的なのは、自分の思いや考えをダイレクトに相手につたえることでしょう。人数が多くなると、人を介さずにすべてを伝えることはできないでしょうが、一番大事なことは直接相手に話すことです。
>
> （櫻田厚『いい仕事をしたいなら、家族を巻き込みなさい！』）

また、部下の承認について、ジャック・ウェルチ氏は以下のように述べています。

> クロトンビルで私は「君たちは部下を祝福する機会を十

分作っているか」という単純な質問をする。

「君たち自身の問題だ。私が代わりに祝福する場を作れるわけはないのだから。われわれはGEに祝福を担当するバイス・プレジデントをおくつもりはない。自分自身が祝福担当のマネジャーだと思うことだ。君たちにはその権限がある。『メルセデス・ベンツの新車を褒美にしろ』という意味ではない。ビールをおごってもよいし、その社員と2人で夕食をとってもいいだろう」

（ジャック・ウェルチ『わが経営』）

部下を承認するのは上司のあなたの役目です。継続的に承認ができる機会を作れるようなコミュニケーションを持ちましょう。

次の演習でレベル3の承認を体得しましょう。

リーダーシップ演習⑤――最上級の承認をする

レベル3の承認をしましょう。

1．相手のこれからやろうとする貢献やコミットメントを確認します

2．それに対しての結果を確認します。うまくいったか、いかなかったか？

3．うまくいった場合は、レベル3の承認をしましょう。うまくいかなかった場合は、そこから学んだこと、それに至るまでのプロセスを承認しましょう

ピール・ザ・オニオン（他の人の皮をむく）

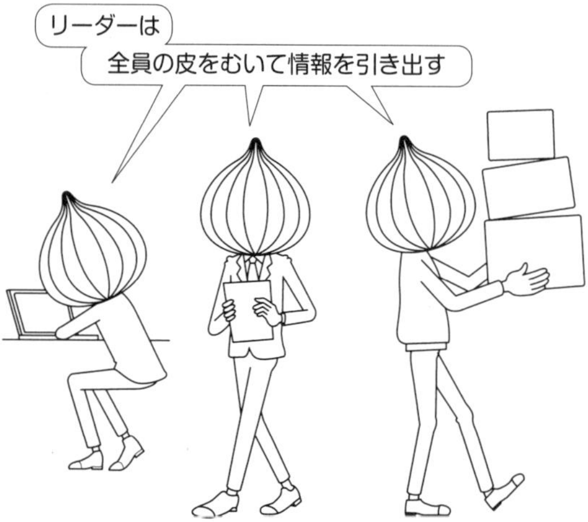

リーダーはそれぞれの人の頭の中に入っているアイデアを引き出して共通の目標を設定しなければなりません。なぜ共通の目標が組織に必要なのでしょうか？

組織のメンバーはそれぞれ違うゴールや目標を持っています。それはそれぞれに異なる動機やインセンティブがあるからです。しかし彼らはそれをわざわざ口に出したりしません。また、他の人の意見にも反対したりしません。それは彼らにとってはそもそも他人事であるからです。自分が意見を出して争うようなことは避けたいし、つまらない意見だと人から馬鹿にされたくないと思っています。そうして、ただ静かに席に座っています。彼らが何か話すとしたら、自分が責められていると感じ反論をする時や、自分に有利になりそうな提案だけです。

しかし、これでは全員が自分事として考えられる共通の目標を設定することはできません。リーダーはこれまで培ってきた関係性の上に信頼を築き、彼らのオニオンの皮をむいて中身でコミュニケーションができる環境を作らなければなりません。これには３つの要素があります。

①意見を出せる場があること
②何でも言い合える関係が存在すること
③リーダーはただプロセスを管理し、内容については関与しすぎないこと

組織の陥りがちな落とし穴として、①の意見を出せる場があるだけの組織は多いのです。しかし参加している全員が自分事として自らの意見を出さなければ、みんなが納得する共通の目標を設定することはできません。

②の何でも言い合える関係性には、リーダーとその人との関係とメンバー間の関係があります。もし言い争いが起きても、リーダーは人対人の争いから、争っているのはあくまで討議している内容であって、その人を責めているのではないという認識を与えなければなりません。これをインテルでは「建設的な対立」（constructive confrontation）と呼び積極的に対立を推奨しています。オープンな態度で上下関係なく議論し、上司であっても対立を恐れないという企業文化を浸透させているのです。

③のリーダーの関与については、オニオン・リーダーシップの「完全な聞く」で彼らから会話を引き出します。決してリーダーばかりが発言してはいけませんし、他の人のアイデアに関与しすぎてはいけません。それはリーダーの顔色をうかがって意見を合わせようとするからです。

ユニクロでお馴染みのファーストリテイリングの柳井正社長は全員参加の重要性について、次のように述べています。

会議で、もし最後まで何もしゃべらない人がいたら、ぼくは、「何も発言しないのであれば、もう次回から出席しなくて結構です」と言うことにしている。

一番いい会社というのは、「社長の言っていることがその通り行われない会社」ではないかとぼくは思う。

（柳井正『一勝九敗』2003年）

また、58四半期連続増益の男ハロルド・ジェニーン氏は共通の目標について、次のように述べています。

組織図に含まれるすべての人々を、共同一致して機能させ、何よりも肝要な、緊密な人間関係によって結束させた時に、初めて真の経営は始まる。この人間関係の緊密さこそ、個々の会社の違いを生じさせる因子である。

（ハロルド・ジェニーン他『プロフェッショナル・マネジャー——わが実績の経営』1985年）

具体的に良いコミュニケーションの環境とはどのようなものなのでしょうか？　次の２つの例からあなたの組織のコミュニケーションの環境を考えてみましょう。

アマゾンの会議は２枚のピザルール

アマゾンの創業者であるジェフ・ペゾス氏は、２枚のピザでまかなえない人数の会議は開かない（出席もしない）というルールで会議を運営しています。これは全員が発言できる状況を作るという意味です。統計的にも５人から10人までのチームが最もパフォーマンスを発揮すると言われています。

多様なメンバーのほうが良いパフォーマンスを生む条件

チームの構成については、より単一バックグラウンドのグループよりも、多様なバックグラウンドのメンバーで構成したチームを良くマネジメントしたほうが良いパフォーマンスが出ます。しかし、多様なメンバーでパフォーマンスを発揮するには４つの条件があります。

①安全な環境である
②お互いが異なることを受け入れる
③お互いが異なることを褒める
④お互いが異なることを大切にする

ピール・ザ・オニオンという言葉はオニオンの皮をむくという意味です。オニオン・リーダーシップはまさにあなたの周りの人のオニオンの皮をむいて全員がリーダーシップを発揮する組織を作ることです。それには意見を出せる場があり、そこで何でも言える安全な環境が必要です。

次の演習でピール・ザ・オニオンを実践してみましょう。

リーダーシップ演習⑥——全員参加のミーティング：ピール・ザ・オニオン

あなたの組織で全員参加のミーティングを持ち、建設的な対立を実践してみましょう。

議題は「コミュニケーションの環境」についてです。

ミーティングが始まる前に全員で以下を確認します。

①ここは何を言っても安全な場所である
②全員が「完全な聞く」で話を聞く
③４モード分析について全員が意見を述べる
「組織のモードは、関係の信頼度と自分の範囲によって４つの反応に分類されます。組織全員でディスカッションしましょう。この組織はごますりモード、やる気なしモード、反抗モード、貢献モードの４モードのうちどれに近いですか？」
④リーダーはプロセスを管理し、内容については関与しすぎない

このような全員参加のミーティングを定期的に開催することで、組織で共有されているオニオンの皮は次第にむけていきます。

リーダーシップ演習⑦── 4モード分析

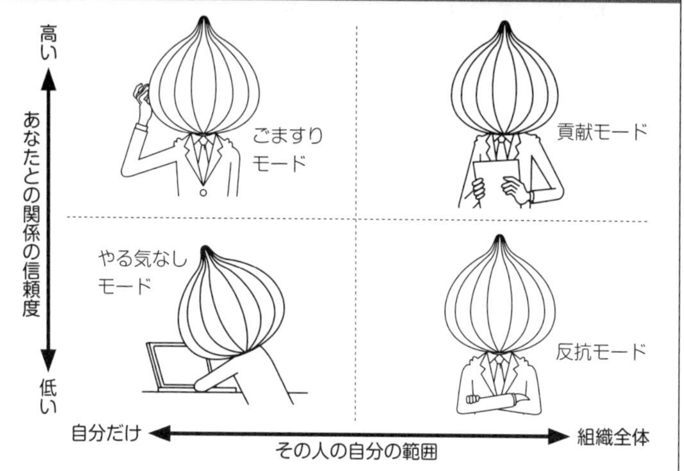

コンビニエンスストア、セブン－イレブンを立ち上げた鈴木敏文氏は「対応」を徹底するために毎週、管理職の1500名を本社に集めて直接話をしていたそうです。顔を見ながら話すことで、ニュアンスの違いなどがなくなるというのです。

> 利益拡大が求められている時期に、会議のために経費をかけ続けることはないだろうと読んだのだ。それに対し私は、毎回百万円以上の経費がかかることを示した上で、「コミュニケーションにお金をかけることが方針である」と明言した。（鈴木敏文『挑戦 我がロマン──私の履歴書』2008年）

3-2　Give up on fake-self（ニセモノの自分を手放す）――本物の自分になる

オニオン・リーダーになるには、皮をむいて本物の自分になることであると第１章で説明しました。それでは皮をむいた本物の自分がリーダーシップを発揮するということはどういうことになるのでしょうか？　それは他の人に対してニセモノの自分を認め、それについて話すということです。あなたは今からリーダーシップを発揮しようとしているのですから、ニセモノの自分を認めるというプロセスがどうしても必要です。これには２つの理由があります。

まず１つ目の理由は、オニオンの皮をむいたことを他の人は知らないからです。あなたは昨日の夜にオニオンの皮を見つけそれをむくことに成功したとしましょう。しかし、他の人には今朝のあなたはまだ昨日と同じあなたに見えています。もしオニオンの皮が実在していてわれわれの目に見えるのであれば、「おはようございます。今日は見事に皮がむけていますね」と言われるかもしれませんが、オニオンの皮は実際に目で見ることができないので仕方がありません。自分の皮がむけたことは、ゆくゆくはあなたの言葉や行動に表れてくるので相手には伝わりますが、人は過去の記憶を上書きするのに時間がかかるため、効率を考えて直接伝えます。オニオン・リーダーは短い期間で最高のパフォーマンスを発揮する必要がありますので、他に方法がありません。

２つ目の理由は、他の人からフィードバックを得るということが自分を変える近道であるからです。自分がとったオニオンの皮について話をすることで、他の人からのフィードバックを得ることができます。これはあなたに立場がある場合たいてい恥ずかしいことであるし、なるべく隠しておきたいことなので難しく感じると思います。しかし、私たちにとって一番難しいことは、他の人があなたを見ているのと同じように、自分で自分を見ることです。他の人からのフィードバックは、他の人が見た自分と自分で見ている自分との違いに気づく、とても良い機会です。私自身、まったく想像もしていなかったフィードバックを得た時ほど、自分を発見する機会となりました。

それではニセモノの自分とはどういうものなのでしょう？　私たちは腹の中で思っているものを隠しています。次の２つの例から考えていきましょう。

夫は夜11時に帰宅した。妻は夫の帰りがいつも遅いことに腹を立てている。一見、妻は夫の帰りが遅いことに対して腹を立てているように見える。しかし実際は、時間に厳しいことよりも、他のものを手にしようとしているのである。

それは、自分が正しく、自分は他者よりも優れているという優越感であり、彼女自身が次に時間に遅れても許されるという切り札である。

このような一見正当に見える不満の裏には、より多く他のものを得ようとする行動が潜んでおり、それは彼らのコミュニケーションに表れてくる。しかし彼女は同時に失っているものに気づいていない。それは愛情や親密さである。本当は、彼女は夫と愛情のある親密な関係を築きたいと思っているが、まったく逆のことをしているのである。

このように、ニセモノの自分は本来の自分と潜在的に矛盾していることがあります。いわゆるあまのじゃくである、素直ではないということになります。そのせいであなたは、思ってもいないことを言ってしまったり、考えていることと逆のことをしてしまったりします。

もう１つ私たちが潜在的に持っている矛盾の例を見てみましょう。

あなたは部下がいつも話を聞かないと不満に思っている。一見、あなたは部下が話を聞かないという状況があるように見える。しかし、その裏で自分は正しいという自己肯定感を得ている。自分を正当化することで、自分がリーダーシップを発揮できていないことへの正当な理由としているのである。

私たちはなぜ素直になれないのでしょうか？　それはわれわれが人から良く見られたいという基本的な欲求を持っているからです。われわれは他の人の目を驚くほど気にしているのです。

自分の評判が良いことや、人からすごいと思われること、承認、賞賛されたいという欲求があなたをオニオンの皮で覆い、自分の意見が言えず、自分を飾って良く見せようとしたり、分かっていないのに分かったふりをあなたにさせてしまうのです。

ゼロックスをあと２週間で倒産という絶体絶命の危機から救ったCEOのアン・マルケイヒー氏は、マスター・オブ・「アイ・ドント・ノウ」（「私は知らない」ということのマスター）と呼ばれていたそうです。このエピソードは、彼女がニセモノの自分を手放して、本物としてそこに存在していたことを教えてくれます。

「リーダーで一番悪いのは、自分が一番賢い、自分が一番知っているという態度でいることです。私たちリーダーは、私は知らないと言うことが許されているのです」

リーダーの素顔②――アン・マルケイヒー氏

ハーバードのリーダーシップの授業でアン・マルケイヒー氏がこの時の経験を話してくれました。

「もし会社の状況が悪くなったとして『ありがとう、じゃあね』と軽々しく言うようなことはできない。私の母はそのように私を育てなかったので」

CEOに就任した彼女は「重要なことにだけ時間をかける」と、メディアとの関係をすべてシャットアウトして従業員と顧客だけに時間を使いました。そして「われわれは、生き残りをかけているのではありません。誇りを持って成功していくのです」と、みなを励まし続けました。そして銀行への返済を拒否し、会社の将来のための商品開発にお金を投じました。

それでも会社を守るために長年一緒に働いた仲間に解雇を宣告しなければならなくなった時、彼女はまっすぐ家に帰れず、車を路肩に停めて1人で泣いていたと話してくれました。

大企業のCEOであっても中身はやさしい1人の人間だと感じた瞬間でした。その後のクラスの投票で彼女は一番自分らしいリーダーに選ばれました。

あなたにとって他の人は、あなたが思っている以上に怖い存在であるし、あなたは他の人よりも優れていないといけないのです。他者の賞賛から得られる安心は、自分がそこに存在していても良いという証であり、私たちは一時的に他者の脅威から逃れられるのです。これも人間に組み込まれた生存のためのメカニズムです。しかしこのおかげで同時に失っているものがあります。たいてい失われるのは親密さや愛、バイタリティ、健康、自己表現、満足感、達成感などの生きている充実感です。

では、このようにならないためにはどうすれば良いのでしょうか？　それは人に対して皮をかぶっていたニセモノの自分を認めることです。哲学的に言えば、「ニセモノの自分の姿は本物である」ということになります。

夫の帰りが遅いことに腹を立てている妻の例を考えてみましょう。彼女は自分が持っていたオニオンの皮は「夫はもっと早く帰ってくるべきだ」という見え方であったと発見したとします。その晩に夫が帰ってきた時、次のように言ったとしたら、どうなるでしょうか？

「私はあなたが遅く帰ってくることに対して、もっと早く帰ってくるべきだと思っていました。しかし、それは本当の私ではなく、『いつも自分が正しいと思いたい』というニセモノの私でした。そのことであなたとの親密な関係を失っていました。本当の私はあなたともっと仲良く一緒の時間を過ごしたいと思っています」

もう１つ仕事の遅い部下を例にして考えてみましょう。あなたは自分の中に「彼はもっと努力すべきだ」というオニオンの皮を発見しました。そして、彼にこう伝えます。

「私は、これまであなたはもっと努力すべきだと思っていました。でもそれは私の本当の姿ではなく、実は私が人が苦手で距離を置きたいと思っていたのだと気が付きました。本当はあなたと良好な関係を築きたいし、これから一緒にこのプロジェクトを成功させたいと思っています」

いかがですか？　このニセモノの自分に対して本物であるという態度は、夫に「そんなふうに思っていたなんて知らかなった」であるとか、部下に「私もあなたを勘違いしていた」と映るかもしれません。これこそがオニオン・リーダーとして関係を構築する第一歩となります。

そしてその瞬間から、夫には「いつもイライラしている妻」が「素直な妻」に見え、自分もいつも遅くなって悪いと思っていたが素直ではなかったと謝るかもしれません。部下には「気難しい上司」が「弱い部分を持った普通の人」であり、「このプロジェクトに真剣に向き合っている仲間」だと見えた時、彼の皮がむけ自分も何か貢献できないだろうかと仕事に向き合い始めるのです。

それでは次の演習を実践して、ニセモノの自分を手放しましょう。

リーダーシップ演習⑧――ニセモノの自分をさらけ出す

あなたの現状の不満を書き出し、人に伝えてみましょう。

私は今まで、
①不満＿＿＿＿＿＿＿＿と感じるたびに、
②反応＿＿＿＿＿＿＿＿＿＿という在り方をしていました。
③ニセモノ＿＿＿＿＿＿という自分でした。
④失ったものは＿＿＿＿＿＿＿＿＿＿でした。
⑤本当は＿＿＿＿＿＿＿＿＿＿＿＿でありたいと思っていました。

私の体験談をお話しします。私には次のようなニセモノの自分がありました。

私は今まで、①人に理解されないと感じるたびに、
②人を馬鹿にするという在り方をしていました。
それは③自分を正当化するという自分でした。
失ったものは、④信頼のある関係でした。
本当は⑤あなたと素直に向き合いたいと思っていました。

私がこれを伝えた時、その方から「私は今まで馬鹿にされたと思ったことはありませんでしたが、もっと話をしたいと思っていました。いつも忙しそうに見えたので話しかけると迷惑だろうと思っていたのです」とフィードバックをもらいました。それから、その方とは自然に会話ができるようになりました。

3-3　Future（未来）――リーダーは未来を創る

リーダーはリーダーシップを発揮して他の人の行動を変えなければなりません。それにはリードされる人の現実の見え方を変える必要があります。今から現実の見え方を変える実験をしてみましょう。

「明日の朝６時に起きてください」と、私があなたにお願いをします。

あなたは明日の朝６時に起きますか？　よしせっかくなのでと朝６時に目覚ましをかけるかもしれません。もしくは一度は起きるが、アラームのスヌーズ機能によりたびたび起こされては６時15分になってようやく目を覚ますかもしれません。

それでは、次のように言われたとしたら、あなたの行動は変わるでしょうか？

「明日の朝６時に起きてください。そうしたら、１億円あげます」

これでもあなたは明日の朝６時に起きないかもしれません。あなたは本当に１億円もらえるはずがないと思っているからです。しかし、もし私がアラブの石油王のような大富豪と分かったら、あなたは本当に１億円もらえるかもしれないと、夜も眠れずに朝になるのを今か今かと待ち構えて眠れぬ夜を過ごしたりしませんか？　もしくは家の目覚まし時計を集めてアラームをセットしたりするかもしれません。

あなたには、「１億円あったら、家のローンが支払え、欲しいものが買え、あれもこれも今まで実現できなかった未来が実現可能だ」と見えています。つまりあなたにとって１億円をもらえることはとても重要な未来です。しかし、すでにあなたが大富豪でお金が余っているとしたら、朝の６時に起きることになんら興味を見出さないかもしれません。その場合はあなたにとって１億円はそれほど重要ではないのです。

「朝６時に起きてください」というお願いは同じです。違うのはあなたにそれが重要かどうかです。それはあなたの見え方であり、現実は何も変わっていません。

これをリーダーシップに置き換えれば、リーダーが創る未来は、リードされる人の未来にとって重要である必要があると分かります。基本的に人は自分の未来にとって重要でないことはやらないのです。

あなたの組織に目標があるとします。あなたの部下がそれを自発的に目指さないのは以下のような理由が考えられます。

- 目標が彼らの未来に重要でない。
- 重要であってもその重要性を認識していない。
- 重要であり認識してはいるが、現実から目を背けている。
- 他に心配事や恐れがあったりする。

その人にとって重要なものは、その人が何をしているのかを知れば見えてきます。例えばあなたの子供がゲームばかりしているとしましょう。それはゲーム自体が楽しいということもありますが、もしかしたら、友達グループの中でコミュニケーションをするためのツールとして重要なのかもしれません。逆に勉強をしないのであれば、勉強は大事だとなんとなく分かっていても自分の未来にとってどれほど重要なのかが分かっていないのかもしれません。

未来にはもう１つの側面があります。それは私たちの未来は過去を投影したものであるということです。私たちのまだ描かれていないはずの未来には過去の影があるのです。つまり、「私は今までこうだったから、これは私には無理だ」、「前にやってみたけれど、私には向いていない」というように、以前の失敗を繰り返さないようにしています。私たちの過去は未来に制限をかけているのです。

> 脳は未来を考える時、過去を考える時と同じ領域が活性化する。
> （スプナー他、2007年）

私たちの脳は未来を考える時、実は過去を考えているのです。脳は過去を未来に投影することで、私たちの生存を確かなものにしたいのです。しかし、それでは過去の自分を超えることができません。未来にまったく新しい可能性を見出すには、あなたがリーダーとしてみんなが描く未来の中から過去の影を取り除かなければなりません。過去を過去に置いてくる作業が必要です。どのような環境で育ってこようが、どのような経験を持っていようが過去は過去でしかないのです。未来に同じことが起こるのではないかというのは脳が作っているただの制約にすぎません。それらは過去の出来事として過去に置いてきます。そして、未来に空きができたところにリーダーは新しい未来を創ります。リーダーの役目は他の人の重要な未来を創ることです。

新しく創られた重要な未来は、それ自体が意味を作り現実に変化を起こします。新しく創られた未来は、あなたの脳に「この未来は重要である」という意味を作ります。すると、あなたの行動や存在の在り方を自動的に変えてしまいます。あなたが未来を創るのではなく、未来があなたを創るのです。創られた未来は、あなたの過去の在り方を超えて未来の可能性を見せてくれるものです。

オニオン・リーダーシップを発揮するということは、あなたがリードしようとしている人のオニオンの皮をむいて、新しい未来を創り、現実の見え方を書き換えることです。未来にあなたが使われるのではなく、未来にあなたを使わせるのです。これがオニオン・リーダーシップの極意です。

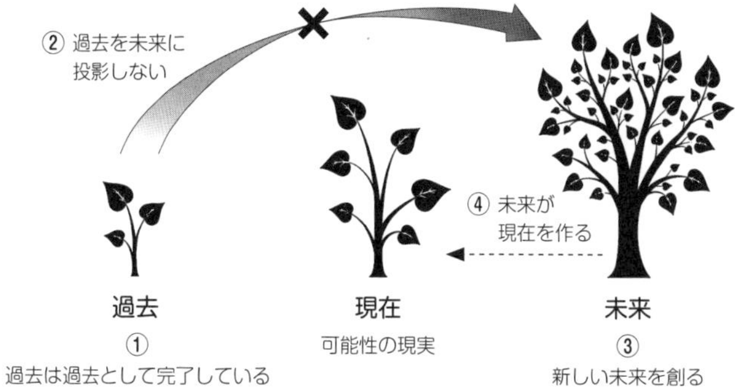

組織の未来を創るにはどのようにすれば良いのでしょうか？組織の未来は全員（リードする人とリードされる人）の関心や重要なことを実現するものでなければなりません。関心や重要なことは、心配事を解決するものであり、自己表現の機会であり、注目される貢献ができるものでなければなりません。

これらを満たす未来を創造したならば、「この未来は重要である」と認識され、あなたは今この未来を生きようとし、存在と行動は未来に沿ったものとなります。

それでは演習で組織の重要な未来を創りましょう。

リーダーシップ演習⑨——組織の重要な未来を創る

1．関係者を全員集める
2．現状の問題を全員で解決することを約束する
3．何もしないと、訪れる過去から投影した未来はどのようなものであるかを確認する
4．それを望まないのであれば、どのような未来が私たちの
①行動を導くか
②心配事を解決するか
③注目される貢献ができるか
を考える
5．まず誰か１人が提案をする
6．その意見に同調できない人を探す
- 同調できない人の中から１人を選び、選ばれた人は反対の提案をする

- この2人は同調できるまで話をする
- それが終わると他に同調できない人を探す
- 誰も手を挙げないまで続ける

このようにして創った組織の重要な未来をスローガンとして掲げ、そのスローガンに沿って計画を作ります。たいていの組織の失敗は、みんなが重要な未来を創らないうちに計画を作るため現実化しないのです。

3-4　Declaration（宣言）――リーダーはコミットする

リーダーは未来を実現することをコミットします。未来を実現するコミットメントはリーダーシップを発揮するために以下を実践する約束をすることです。

- 本来の自分の姿であること
- その未来を現実するためにコミュニケーションすること
- 過去からの制約を超えて未来を創作すること

そして、このコミットメントを宣言することでリーダーは言葉に力を与えることができます。

宣　言

宣言というのは私たちが普段あまり使わないコミュニケーションの方法です。あなたが「私は宣言します」と言った時、それは主張ではなく、約束でもありません。宣言とは未来を実現するために現実に持ってくることです。そして、今からあなたが起こす行動と創った未来が一致していることを他の人に信頼してもらうことです。

この未来の宣言は、可能性の提示でも、ポジティブシンキングでもありません。私はこれからこの場所に立ちますという自分の選択の宣言です。

ここからは、リーダーが使うコミュニケーションのそれぞれの違いを見ていきましょう。

約　束

約束は「約束する」と言った瞬間に語られる言葉です。その約束が実行されるのはその後です。約束には常に「何を」、「誰が」、「いつまでに」が存在します。約束を取り消すことは、あなたを信頼している人に対して約束を守らないと言うことです。

要　望

要望は他の人に約束をする機会を与えることです。これに対して他の人は拒否したり、受け入れたり、時間を変えたり、代替案を出すことができます。もしその人が断れないと思った場合も「分かりました」と言います。また、あなたの内部で起きていることの表現（怒っている、お腹が空いたなど）は要望ではありません。

主　張

主張はあなたの意見を述べることです。この主張は何かに対して正しいということとは異なります。あなたが主張していることは常に有効であり、聞いている人にもあなたの意見は有効です。

命　令

あなたに権威があれば、あなたがリードしている人に効率的なリーダーシップを実行するために命令することができます。命令は拒否不可能と思われがちですが、それが招く結果を受けてもよい場合は拒否することがあります。

招　待

招待は要望と異なり、機会を提供しているだけで招待する側にコミットメントはいりません。招待される側も断ることに理由を説明する必要はありません。リーダーはその人が可能性を見出すことに招待することができます。招待された人は、可能性を見つけてもその招待を受けようとしないかもしれませんが、彼らの中に可能性として存在することになります。リーダーシップを発揮して、みんなが自分より大きなものに人生を投じるには、他の人を巻き込む必要であり、この巻き込みは招待にあたります。

これらのコミュニケーションには落とし穴がありますので注意してください。例えば以下のような場合です。

- 約束を具現化しない（あなたの頭の中にだけある）
- 約束に「何を」、「誰が」、「いつまでに」の要素が欠けている
- 要望が命令であった（断ることができない要望は命令と同じである）
- 命令に背くが、それが導く結果を考えていない

リーダーの宣言について、楽天の創業者である三木谷浩史氏は次のように述べています。

> リーダーの役割はそういう山をいつも見つけることだと思う。
> 「あんな山、登れないですよ」
> 誰かが弱音を吐く。
> 「大丈夫だよ、おれたちなら登れる」
> そう言って、一緒に山を登るのだ。
> そして登り切った瞬間には、次なる高い頂を指して、「今度はあの山を目指そう」と宣言する。
>
> （三木谷浩史『成功のコンセプト』2007年）

また、元IBMのCEOで巨大企業の変革を成し遂げたルイス・ガースナー氏は招待について、著書『巨象も踊る』の中でこ次ように述べています。

> 数十万人の社員の姿勢や行動様式を変えるのは、極端なまでにむずかしい。ビジネス・スクールではその方法を教えていない。心地よい本社にいて社員から隔絶されていて

は、改革を率いることはできない。幹部を集めて二回か三回訓示し、新しい社訓を書いて、企業文化を変えたと宣言しても何の意味もない。
　できるのは、企業文化が変わる条件を作ることだけだ。
　経営陣はみずから文化を変えるように招待するだけである。
　おそらく最も困難な部分は、この招待を受け入れてもらうことだ。　　　（ルイス・ガースナー『巨象も踊る』2002年）

ここで少し企業文化について考えてみましょう。リーダーシップと企業文化は切り離せません。企業文化は氷山のように、私たちに見えるのはごく一部です。その下の目に見えない層には信念、価値、常識があり、そして最下層には、仮定、思い込みが存在しています。

そして、この見えないものが文化として組織内で共有されていることに私たちは気づいていません。

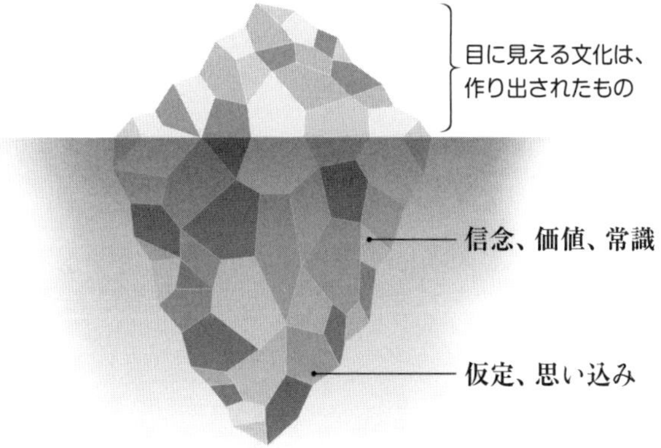

ルイス・ガースナー氏は組織文化について、同書に次のように書いています。

> IBMでの約十年間に、わたしは企業文化が経営の1つの側面などではないことを理解するようになった。1つの側面ではなく、経営そのものなのだ。
>
> （ルイス・ガースナー『巨象も踊る』）

リーダーシップがある組織は、それはリーダーが宣言した未来が企業文化として隅々まで染みわたっていることです。つまりリーダーの宣言が常にチーム全体の隣にあることです。企業文化とは組織で共有されているリーダーの宣言が作る意味なのです。

この例でルイス・ガースナー氏が作り出したのは「自信を取り戻し、自らの人生を自分で選択して生きよう」でした。この言葉が世界中のIBMに染みわたり、見事に復活を遂げたのです。

それでは次の演習で先ほど創った組織の未来を宣言しましょう。この宣言により、未来は実体のある測定可能なものとして現実となります。ここで注意していただきたいのは、コミットするのはそれを達成することではありません。実現する可能性を日々生きることです。

リーダーシップ演習⑩――未来を宣言する

未来の宣言

私たちの組織は「全員の重要な未来」を実現することを宣言します。
そのために私は△△であることを宣言します。
この未来にみなさんを招待します。
招待を受け入れる人は壁の紙に自分の名前を書いてください。

＊壁に紙を貼り、組織のみなが自分のコミットメントを表明する場所を作る。
＊宣言とは未来を実現するコミットメントを他の人に信頼してもらうことである。

3-5　Harmony（調和）――信頼が組織に調和を与える

さてオニオン・リーダーシップの組織作りも最後となりました。ここでは信頼が与える組織の調和について考えていきましょう。

あなたは誰かに約束をしたとします。あなたが約束をした人はあなたが約束をどのように扱うかを知っていますか？　簡単な約束であれば、守ることも簡単です。しかし時には約束を守れないこともあります。ここで重要なことは約束を守ることではなく、どのように扱うかです。

例えば電車が止まってしまって約束の時間に間に合わない場合、あなたは相手に連絡をして「電車が止まったので少し遅れます」と伝えるかもしれません。もしくは「5分くらい遅れても大丈夫だろう」と連絡をしないかもしれません。または期日が決まっている仕事をついうっかり忘れてしまうこともあれば、今日から毎日英語を30分やると言って三日坊主になってやめてしまうかもしれません。

私は15年ほど前にアメリカに3年ほど住んでいました。ある夜に友達2人を夕ご飯に誘いました。「午後7時に来てください」と言うと、彼らは午後7時15分頃にやってきました。アメリカでは「約束の時間に少し遅れていく」のが礼儀だそうです。日本ではこの約束の時間の扱いについては、「必ず時間に間に合うように」と教えられましたので、本当に遅れてくるのだと思いました。しかし、アメリカでも時間きっかりに始めたい時はありますので、その場合は「午後7時シャープね。遅れないでください」と伝えると、彼らはきちんと時間通りにやってきます。

余談はさておき、私たちは自分がした約束を、ある時には守り、ある時には守りません。それが私たちの約束の扱い方です。再び組織の調和に話を戻しましょう。例えば、プロジェクトの次の工程に進む期日になって、ある人のタスクが終わっていなかったとしましょう。他の人のタスクはすでに終わっています。リーダーであるあなたは、ある人のせいでプロジェクトが遅れることを気にしてイライラします。このようなことはあなたの周りで毎日起こっているのではないでしょうか？　あなたの役割は組織の最大のパフォーマンスを引き出すことですから、全員が約束したタイミングで次の工程に進むことは必要不可欠です。

つまり、あなたを含めた全員が約束を完全に取り扱いそれを実行しない限り完璧な組織を作ることは不可能です。それでは約束を完全に取り扱うことにはどういう意味があるのでしょうか？　シェイクスピアは次のように述べています。

> もしもあなたがあなたの言葉に真実であるなら、他人に対しても真実である。　（シェイクスピア『ハムレット』）

このシェイクスピアの言葉は、あなたが言うこと、つまり約束を完全に取り扱うことで、他の人との信頼関係が構築できると考えることができます。ここから私たちが日々使っている４つの約束の種類とその完全な取り扱い方について見ていきましょう。

①他の人に言う言葉

約束の１つ目は、あなたが他の人に言う言葉です。これは、あなたがあることについて、それはこうであると言うことです。あなたが「こうである」と言うことは、事実である必要があります。もし事実でないことが分かったなら、その時点で誤りを認め、訂正しなければなりません。

②自分に言う言葉

２つ目は、約束とは自分が自分に言う言葉です。基本的に約束を守る努力をしなければなりません。約束が守れない場合は、その時点で相手にそのことを話して、それによって生じた責任をとらなければなりません。

③基　準

3つ目は、社会通念（社会の道徳的基準、グループの倫理的基準、社会、グループ、そして国家における善悪の基準）についても、あなたは基本的には守らなければなりません。あなたはこれらを守らないと選択することもできますが、その基準を採用しないことを公開し、基準を持たないことへの代償を支払うことをいとわないようでなければなりません。

④あなたへの期待

4つ目は、他の人があなたに思っていることです。つまりあなたにしてほしいと思っていること、あなたへの期待やあなたに望んでいる立場についても、守らなければなりません。なぜ他の人が望んでいることをやらなければならないの？　と思うかもしれません。それは、期待を裏切られた、もしくはマネジャーの立場であるのにやってくれないという意見を持つのはあなたではなく、他の人だからです。

このように約束を完全に取り扱うことは、組織内外との関係に直接影響します。まず組織内の影響について考えてみましょう。

あなたはリーダーで、これから毎日英語の勉強をして今年中にテストで良い点をとると周りの人に言ったとします。もしあなたが三日坊主であきらめてしまったとしたら、他の人にどのように見えるでしょうか？　あなたの言葉への信頼度が低くなります。逆に毎日続ける人の言葉への信頼度は高くなるでしょう。よって、どのような些細なことであってもリーダーは自分との約束を守らなければなりません。

そうすることで得られるのは、どんなに厳しい状況で、難しい挑戦であっても「この人がやると言うなら何があってもやり遂げるだろう」と周りがあなたを信じることです。そして、更にあなたは自分を正当化する必要がないので本当の自分の姿で在ることができ、あなたがリードする人から信頼されることで困難な状況に立ち向かう勇気を得ることができるのです。約束の完全な取り扱いは組織のリーダーシップに欠かせない要素です。

次に、組織の外への影響について考えてみましょう。例えば何かの失敗で顧客との間に問題が起きた時に、この完全な約束の取り扱いで対応したとします。約束を完全に取り扱うためには、それによって生じたことに責任をとらなければなりません。しかし、実はこのピンチの時こそチャンスなのです。

> 記憶に残る満足した体験のうち23.3％がコアサービスの失敗に帰属する。サービスの提供の失敗が、高い顧客満足として記憶に残ることを示している。よく訓練された従業員が、顧客の不満足を軽減したというかもしれないが、これは驚きとして記憶に残るような、「とても満足した」経験として記憶されるのである。
>
> （ビトナー、ブームス、テトレアルト、1990年）

日本マクドナルドの創業者である藤田田さんの約束の守り方について、驚くべきエピソードがあります。アメリカンオイルからナイフとフォークの大量注文があった際、船舶での輸送では納期に間に合わなくなり、藤田さんは飛行機をチャーターして納期を守ったのです。

ボーイング707のチャーター代、1000万円ナリ

一度でも契約を破った相手を、ユダヤ人は信用しない。

（中略）

「あいつは約束を守る日本人だ」そういう情報は、またたくまに世界各地のユダヤ人に伝わった。

（藤田田『ユダヤの商法』1972年）

宅急便の生みの親である小倉昌男氏には、障碍者を雇用する「スワンベーカリー」を開業する際に、小泉純一郎首相（当時）が駆けつけ「無信不立」と書いた色紙を従業員に贈ってくれたというエピソードがあります。

信なくば立たず

論語の下篇「顔淵」の言葉で、弟子の子貢《しこう》が政治について尋ねたところ、孔子は「食料を十分にし、軍備を十分にして、人民には信頼を持たせることだ」と答えました。子貢が３つの中でやむを得ず捨てるなら、どれが先か問うと「軍備を捨てる」、さらに残った２つのうちではどちらかと問うと、「食料を捨てる」と答えました。その理由を問われて、「食料がなければ人は死ぬが、昔から誰にも死はある。人民は信頼がなければ安定しない（民無信不立）」と語ったといいます。

（小倉昌男『経営はロマンだ！――私の履歴書』2003年）

それでは、リーダーシップ最後の演習である、約束の完全な取り扱い方を実践しましょう。この仕組みを組織全体に組み込むことで、約束の完全な取り扱いが浸透し、組織のパフォーマンスが向上します。

リーダーシップ演習⑪――オニオン・リーダーの約束の完全な取り扱い方

⑴約束の取り扱いを測定する

まずは１週間でⒶ〜Ⓒの回数をカウントする。

Ⓐ約束した回数
Ⓑ約束は守れなかったが、約束を回復した回数
Ⓒ約束を守れず、約束の回復もできなかった回数

㊎社内会議を予定していたが、客先とのコールの時間が重なっていることに気づいた。

Ⓑ約束は守れなかったが、約束を回復した
→時間が重なっていることに気づいた時点で、すぐに社員に連絡をして、次の日にリスケジュールをすることで合意した。
Ⓒ約束を守れず、約束の回復もできなかった
→そのまま放置し、社内会議の直前になって社員に連絡をした。社内会議のことを忘れていてコールが終わっ

てから気づいた。

(2)もし約束を守らなかった場合、守れなかったことを認め全員にアナウンスする

約束の取り扱いを守れなかった場合の宣言

「私は＿＿＿＿＿という約束を守れませんでした（または、時間通りに＿＿＿＿＿＿＿＿を始められませんでした）。私は私の約束を完全に取り扱わなかったことを認めます。新しい約束は＿＿＿＿＿＿です」

3-6　パフォーマンスの源は行動である

これまでリーダーシップの要素を見てきました。しかし、ただコミットしただけでは創った未来は訪れません。パフォーマンスの源は行動なのです。行動を起こすには以下が必要です。

- 行動の機会を作る
- 約束を保持する方法を持つ

行動の機会を作る

〈今〉という時間は、未来と過去を分かつ時間であり、私たちには特別な時間です。そして今こそ、何かを始め、何かを終わらせることができます。そして、今あなたが何をしているか何

をしていないかを見れば、これから先に何をするか、しないかを見ることができます。

〈ここ〉にいないあなたと人生を生きていませんか？　今〈ここ〉にない、〈そこ〉にあるものが、あなたになってはいませんか？　あなたが〈ここ〉にいるのは今しかありません、現実は〈ここ〉にしかないのです。

リーダーの素顔③――ナンド・パラート氏

ハーバード・ビジネススクールでナンド・パラート氏の講義を聴きました。彼は1972年にアンデス山脈に墜落した飛行機に乗っていて、極寒の中、72日間生き延びました。自身で山を下って救助された時の経験を話してくれました。まさに言葉にならない壮絶な状況でした。

講義の最後に彼は言いました。

「なぜ未来を見ようとする？　今、生きているんだ。今、息をしているんだ。やりたいことをやりなさい。明日にはもう遅いかもしれない。This is the power of NOW（これが〈今〉の力なのだ）」

力強い講義は全員のスタンディングオベーションで幕を閉じました。

約束を保持する方法

約束はその時あなたの口から発せられた言葉です。その約束をした後、あなたが約束を守る時までその言葉はどこにあるのでしょうか？　ほとんどの人がその約束のありかを考えたりしません。創造された未来を現実にするには、この約束を保持しておく方法を持たなくてはなりません。それは、「絶対に合格する」の文字のように自分自身との約束を壁に掲げてもかまいません。また、組織であれば、全員が描いた未来の実現についてコミットメントする署名した紙でもかまいません。それを紙に書く、文字にするという目に見えるものとして具現化することで、私たちは普段は忘れてしまいがちな約束を保持することができます。

また、あなたが約束を宣言すれば、それを聞いた人が保持してくれ、時々思い起こしてくれるかもしれません。このように、他の人の中に約束を存在させておくことでも約束を保持することができます。

第4章
オニオン・リーダーシップで見る偉大なリーダーのエピソード

松下幸之助氏

松下氏はパナソニック（旧社名：松下電気器具製作所、松下電器製作所、松下電器産業）を一代で築き上げた経営者です。1964（昭和39）年７月に熱海ニューフジヤホテルで、松下電器の全国販売会社・代理店社長懇談会を開いた時のエピソードは今もなお語り継がれる伝説の熱海会談です。予定を延長して３日間行われたこの会議には松下の役員全員、販社、代理店の責任者全員が出席しました。1964年は、東京オリンピックが開催され、景気の上昇が期待されていましたが、これまでの高度成長の反動で同年から翌1965（昭和40）年にかけて日本経済は不況に突入していくのです。

販売会社・代理店の松下電器に対する苦情や批判は２日目の夜になっても収まらず、ついに３日目の午前11時になった頃、突然、会長であった幸之助氏が立ち上がりました。ここからは松下氏の著書『夢を育てる──私の履歴書』から、まさにリーダーシップを象徴する瞬間を見ていきましょう。

> 久しぶりにみなさんのお話をお聞きして、私はびっくりした。（中略）出てくる言葉はみな「もうからん」、「どうしようもない」といったことばかりである。そこで、私は尋ねてみた。「このうちで、もうかっているところがありますか。あれば手を上げてください」。そうすると、三十人ぐらいの人が手を上げた。残りの百七十人ぐらいは赤字で苦しんでいる勘定になる。しかしわずか三十人とはいえ、こんな不況でも経営のやり方によっては黒字のところがある。私

> は、赤字会社の多さに驚く半面、“よし、やればやれるんだ”と励まされる思いであった。

聞くというコミュニケーションの中にリーダーシップがある。

第３章でリーダーが話を聞くことは相手側が「本当に聞いてもらった」という経験を残すように聞くことだと説明しました。相手はこの経験から、「このリーダーは本当に私の話を聞いてくれた」ということを記憶し、これが相手のオニオンの皮をむいて、あなたの言うことをそのまま聞けるようになるのです。

松下氏は自らが話す前に相手の話をきちんと聞くという行動がなければならないのを知っていたのかもしれません。松下氏は２日間黙ってこの会議を聞いて３日目に突然壇上に立った時、参加者には「松下氏は私たちの話を聞いてくれた」と見えていたのではないかと思います。

> そこで私は言葉をついで言った。「私が、きょうここへ来たのは、なんとかして、みんなが救われたい、どうしたら救われるか、この難局をどうしたら切り抜けられるか――という処方せんを見つけるためです。みなさん隠さずに言ってください。ウソを言ってもらっては困る。松下電器のやり方を変えなければならんところがあればさっそく改める。真実を訴えてほしい」。そうすると、いままでちょっと遠慮して話していた人も、話しにくそうにしていた人もズバッ、ズバッと歯に衣を着せずに話しだしたのである。

ピール・ザ・オニオン――他の人の皮を一気にむいてしまう

「ウソを言ってもらっては困る」、「真実を訴えてほしい」。この言葉で松下氏は第３章３節で説明した、全員がオニオンの皮をむき、何を言っても安全である未来について話をする場所を作りました。そうして立場や建前を捨てて人対人との対話が始まりました。

「(中略) 苦労したと言われるけれども、血の小便が出るまで苦労されたでしょうか。まあ、そういうことは、いまさらあれこれ言いたてても仕方がありません。これからどうするかを考えましょう」。私も真剣だったが、みんなも真剣そのものだった。松下電器にしても、販売会社から受け取っている手形が不渡りになれば、ペチャンコになる。私は“何時間かかってもいい、得心のいくまで話し合おう”と強い決意を固めて、壇上に立ち続けたのである。

Base（立つ場所）――真剣に壇上に立ち続ける姿

真剣に壇上に立つ姿から、松下氏が自分で選択してこの場にいるという立ち位置が見えます。誰かにお願いされて話しているわけではなく、自分の意志で壇上に立ち、自分の意志で話す強い決意にリーダーシップを感じます。

熱海での販売会社、代理店との懇談会は、当初二日間の予定であったが、一日延ばして三日目に入った。しかし松下電器に対する苦情はとどまるところがなかった。二日間、あれほど言い合ったのに、まだ苦情がやまないのである。私は、このままで終わったのではいけない。結論を松下電器として言わないといけない、と決意して、三日目のその壇上で最後にみなさんに次のような話をしたのである。

Area（自分の範囲）——どこまでが私だったか

「結論を松下電器として言わないといけない」というところから、この時の松下氏は自己の範囲の規定を自分だけではなく、組織全体にまで拡大して解釈していたのではないかと思います。

> 一昨日から、みなさんはいろいろ苦情を言われた。それに対して、私は会社の立場からみなさんにいろいろ反撃しました。率直に言って、私はみなさんがたにも悪い点があると思う。今日集まっていただいているなかにも三十数社は、ちゃんともうけておられる。松下電器が申している理屈に、分がないとは思えません。しかし、二日間十分言い合ったのですから、もう理屈を言うのはよそうではありませんか。よくよく考えてみますと、結局は松下電器が悪かった。この一語に尽きると思います。みなさん方に対する私どものお世話の仕方が不十分でした。不況なら不況で、それをうまく切り抜ける道はあったはずです。それができなかったのは松下電器の落ち度です。ほんとうに申しわけありません。
>
> 私は、いまから三十年近い昔のことを、ふといま思い出したのであります。電球をつくってみなさん方へ売りに行ったときのことです。“いまはまだ電球については信用や品質ともに超一流ではありません。いわば幕下です。しかし将来はきっと横綱になってみせます。どうかこの電球を売ってください”私は、こうお願いして回りました。“いや、他のものならともかく電球だけは売りたくない”と、おっしゃる方もありました。“値段を安くしたら売ってあげてもいい”とも言われました。私は、そうしたみなさんのお言

葉に対して、はなはだ僭越《せんえつ》な言い方でしたが、“いま、みなさんにこれを育てていただくことができなかったら、どうしても超一流の電球は日本に生まれない。そうお考えになって、みなさんのお力で横綱に育ててほしい”と、頼んだのであります。

そうしますと、私の頼み方がよかったのかどうか分かりませんが“よし、分かった。キミがそこまで決意して言うなら売ってあげよう”と言って、電球を大いに売ってくださったのです。そのおかげで、松下電器の電球は世の中に出、その後も改良に改良を重ねて、今日、ようやく名実ともに横綱に育ったのです。

松下電器の発展の過程には、こういうことがあったことを、私はいま思い出しました。そういう並々ならぬご愛情なり、力をいただいている松下電器が、今日の体たらくは、実は申しわけのない不始末だと思うのであります。

ニセモノの自分を手放す (Give up on fake-self)
存在 (Existence)

みなさんがもしこの壇上に立っていたならば、パートナー企業の責任者を前にして「松下電器が申している理屈に、分がないとは思えません」とは言いにくいのではないでしょうか？　相手の顔色を見ながら、自分が本当に思っていることを言わなかったり、自分を良く見せようとして率直になることを避けたりするかもしれません。松下氏は自分の意見に率直でした。そして、自分はそう思っていたが、よく考えたら私が悪かったと自らの非を認めたことは、まさに自分をさらけ出して、本当の自分の姿でそこにいると映ったことでしょう。

　力なき姿であったときの松下電器でも、このように共鳴いただいて、ご商売をしていただいたのであります。

　そういうことを考えるにつけ、今日、松下電器があるのは、本当にみなさんがたのおかげです。私の方は一言も文句を言える義理ではないのです。恩顧を忘れてしまって、ものを見、判断し、考えるから、そこに、一つの誤りなり弱さが現れてくると思うのです。

　これからは、心を入れ替えて出直したいと思います。そのことをお約束します。

Future (未来)
Declaration (宣言) ――未来にコミットする
Harmony (調和)

　ここには未来と宣言が含まれています。この会議のとても重要なポイントは関係者が全員参加だったということです。リーダーは未来を創りますが、その未来は関係する全員の心配事を解決するものでなければなりません。この会議についても、当日２名の不参加が出たのですが、松下氏はそれでは困ると呼び寄せたというエピソードがあります。それだけ全員参加にこだわったのです。松下氏は会議が始まる前からこの会議の持つ象徴の意味を理解していたのではないかと思うのです。

　この会議の後、会長職にあった松下幸之助氏は、営業本部長代行として現場に復帰します。自ら最前線で陣頭指揮をとり松下電器の業績は回復へ向かったのです。松下氏はこの会議で自ら約束したことをきちんと取り扱い、果たしたのです。

そう話しているうちに、万感胸に迫るものがあって、私は思わず目頭を熱くし、絶句した。ハッと気がついてみると、半数以上の人がハンカチを出して目をふいている。もうみんな粛然としてしまった。こんな情景は私も生まれて初めてであった。

この話のあと、妙なもので、それまでは攻撃的だった会の雰囲気がガラリと変わった。

「われわれも悪かった。これからはお互いに心を入れ替えて、しっかりやろう」と言ってくれる人が続出した。

Communication（コミュニケーション）――涙が語るもの

時に行動は言葉よりも大きな声で伝える力があります。松下氏の涙が語ったものは何だったのでしょうか？　そこにいた参加者が共に助け合いながら進もうとする同士と見えたのかもしれません。この会議に臨むために松下氏は200枚に及ぶ直筆の色紙を用意していました。そこには「共存共栄」と書かれていたそうです。まさに、このメッセージを涙で伝えたのではないかと私は思うのです。

第5章
逆境のオニオン・リーダーシップ
――逆境を乗り越える

2020年は私たちにとって大変な年になりました。たくさんのリーダーがこれまでとはまったく違う環境に戸惑い悩んだ方も多いと思います。

この章では、逆境の中でどのようにリーダーシップを発揮するかを考えていきましょう。

現実をそのまま見る

逆境において、まずリーダーに必要なのは現実をそのまま見ることです。これは現実を受け止めることではなく、これまでの経験則に当てはめて理解することでもありません。第１章でオニオン・リーダーになるには自分の皮をむくということ、これは現実に付いた意味を見つけていくことであると書きました。今あなたが逆境の中にあるとして、あなたに見えている現実はどのようなものですか？

例えば、あなたは飲食店を経営しているとします。まったくお客さんが来なくなり、このままではお店がつぶれてしまうと思っています。また、もうすぐ資金がなくなって倒産してしまう、というのがあなたの現実かもしれません。

これらはどちらもあなたの現実ですが、ここにあなたは意味を付け加えています。お客さんが来ないのは、お客さんが来ないという現実であって、それにはお店がつぶれるという意味はありません。お金がなくなるというのは現実ですが、倒産してしまうというのは誰かがそう予言しているわけでも、変えられない運命が存在するというのでもありません。それは数あるうちの１つの可能性です。

ただあなたには未来がそのように見えているだけなのです。そして、その未来はあなたの組織の人にもすでに共有されているのかもしれません。しかし、ここで大切なことは、それらは未来の可能性であり、未来に確実なものはないということです。

現実を見せる

リーダーの役割としてみんなが現実をそのままの姿で見られるようにすることが必要です。例えば、上記の例で考えるなら、お客さんが来ないのではなく、（少ないけれど）今日は３人のお客さんが来た、というのがそのままの現実です。お客さんが来ないといっているのは、いつもより少ないということを、あなたが意味を付けた表現です。

感情を共有する

逆境の時はみなが不安な感情を抱えています。そして、それはリーダーも同じです。あなたは不安を感じないようにしよう、不安に思ってはいけないのだと本来の感情を閉じ込めているのかもしれません。または、あなたは力強いリーダーとして逆境に強いタフな存在として見られたいと思っているのかもしれません。しかしリーダーが本来の自分の姿をさらけ出して「私も不安です」と伝えたほうが、「この人も１人の人間なんだ」と本物の自分に見えて安心するものです。または、「こういう逆境の中なのだから今起きていることは当然である」とあなたが現実を冷静に受け止めていれば、他の人も不必要に動揺する必要はないのだと思えてくるのです。

今できることに目を向ける

もしあなたの部下が「このままでは会社はつぶれてしまいます」と言ってきたとしたら、あなたはどうしますか？　「そんなことは分からない」、「そんなはずはない」と経営者の立場からチャットボットが反応してしまうかもしれません。オニオン・リーダーはこのような問いを投げかけます。

「この状況が続けばあるいはそうなるかもしれない。その可能性も十分にある。しかし、もし別の可能性があるとしたら、それはどういう可能性だろうか。そのために今われわれができることは何だろうか？」

未来がまったく予測できないこともあります。そして、予想できない不確実な未来こそ、人が最も恐れているものです。私たちは恐れに囚われれていると考えが萎縮し、普段は普通にできることも躊躇してしまいます。究極的には、私たちには明日がどうなるかは分かりません。今までもこれからも確実な未来はないのです。オニオン・リーダーはみんなの不安な気持ちに寄り添いながらも、チームの団結を呼びかけ、意識を不確実な未来から、確実な今に目を向けさせることができます。

「みんなで力を合わせて困難な状況を乗り越えましょう。今私たちができることは〇〇です」

チームを賞賛し勇気づける

リーダーは言葉でリーダーシップを発揮します。そして、チームに「自分たちはできるんだ」と自信を与え勇気づけることができます。彼らのプロ意識、困難から逃げない勇気、誠実さを承認しましょう。そして、みなが困難な状況で忘れてしまっていることを言葉で表して思い起こさせます。それは、われわれがどれだけ素晴らしいチームであるかということ、そして、私はその一員であることを誇りに思っていること、リーダーはチームに感謝を伝えることで、彼らはそこから行動への勇気を得ることができるのです。

ハーバード・ビジネススクールのランジェイ・グラティ教授は東京電力福島第二原発のケースで私たちに危機のリーダーシップを教えています。所長の増田尚宏氏のリーダーシップがケーススタディでした。福島第一原発がメルトダウンになった当時、第二原発も危機的状況でした。

> 増田氏は的確な臨機の指示を出した。直線距離で800メートル離れて残った外部電源から海辺の原子炉の建屋まで、約200人もの社員と関連会社の社員の人力でケーブルを担ぎつなげた。ケーブルは太さ５センチほどで大変重い。建物を迂回《うかい》したり、上下があったりして、総延長は９キロメートルにもなった。通常なら機械を使って１カ月かかる作業を、13日深夜まで30時間で成し遂げた。（中略）
>
> 余震と津波警報が続き、第一原発の事故で放射線量が上昇するなかで、作業を続けた社員たちの姿を想像した。恐怖を当然感じただろうが、それを乗り越えて、プラントの安全確保のために働いた。「第二原発で事故を起こしてはいけないという思いで、社員はまとまった」（増田氏）（中略）
>
> 震災当日、地震対策をした免震重要棟に社員が集まった。

そこで、「安全第一で仕事をしてもらうことを約束し、プラント維持にみんなの力が必要であること、私の持つすべての情報を話しました」という。その後、毎日朝夕2回、現状を社員に話し続けた。

「原子炉の管理では、炉を『止める』『冷やす』、放射性物質を『閉じ込める』と基本行動は決まり、必要な対策は導き出せます。目の前の現象に集中し、動揺することはありませんでした」。

（石井孝明「なぜ福島第二原発は津波から守られたのか」日本エネルギー会議コラム）

増田氏の話から逆境のリーダーシップを読み解くことができます。冷静に現実をそのまま見ること、そのままの現実を見せること、そして今に目を向けること。世界でも高く評価された日本人の危機のリーダーシップです。

第6章

〈リーダーシップ小説〉
鬼尾社長が行く

カレー株式会社　主な登場人物		
社長（主人公）	鬼尾悟	45歳。一流大学を卒業し商社へ入社。海外勤務などを経て、子会社の社長に就任したばかり。内気な性格で、リーダーシップが発揮できないと悩んでいる。
営業部マネジャー	紫徹矢	55歳。この業界で営業一筋に生きてきた。細かく管理したがる。部下からの評判は悪く、成績も振るわない。
営業	じゃが田イモ助	35歳。仕事がおそく、苦手意識がある。将来のキャリアに悩んでいる。
イモ助の妻	じゃが田メイコ	イモ助の妻。第一子が生まれたばかりで、現在は育児休暇中。
事務	仁野じん子	30歳。個人主義であり、チームワークが苦手。
営業（新入社員）	牛川くにお	25歳。仕事に対してあまりやる気がない。将来の目標がないので、惰性で生きている。

経営者の苦悩NOW

初春のまだ薄暗い朝の６時半に、鬼尾はJR東海道線に乗っていた。誰よりも早く出社する、それが社長というものだ、と以前会社の経営に携わる大先輩に教わった。鬼尾が住む横浜の郊外の一戸建てから東京の品川にあるオフィスまでは、ドアツードアで１時間半ほどかかる。いつも朝の６時には家を出る。早いもので、社長を任されて半年が経った。もう通いなれたはずの通勤経路であったが、地方出身の鬼尾には、いつまで経ってもこの満員電車には慣れなかった。

世界的な不景気の足音がひたひたと聞こえてきている。電車の中刷り広告では、不況を予測するエコノミストの発言をよく目にするようになった。これまで着実に成長してきたカレー株式会社ではあったが、ここからの成長は鬼尾の手腕にかかっていた。「私がやらねば。社員の人生を背負わねば」。そう思うと、責任の重さに胸がきつく締め付けられる思いだった。

製品も良い。サービスも悪くない。しかし鬼尾はこの会社の問題に気づいていた。コミュニケーションの欠如、社員にビジョン・ミッションが浸透していないために、みなが別の方向を向いている。活気がなく、社員のモチベーションが低いのだ。鬼尾は昨年海外の有名なビジネススクールでMBAを取得し、最新のリーダーシップ理論を学んできたばかりだった。経営者の本もたくさん読んだ。これまでざっと100冊は読んでいる。しかし、いざ自分で会社を経営してみると、理論と現実との違いに戸惑うばかりだった。

鬼尾は中部地方のとある小さな町に生まれた。決して裕福な家庭ではなかったが、教育熱心な両親は６年一貫教育の私立中学・高等学校を出してくれ、関東の国立大学に現役で合格した。18歳から東京で１人暮らしを始めてから、もう25年以上が経とうとしている。大学を出ると自分の力を世界で試してみたいという思いから、大手の商社に入社した。アメリカでの勤務を３年経験し、若くして子会社の経営を任されることになった。順調にキャリアを築いてきたと思っていたし、我ながら人一倍努力してきたという自負はあった。前任者が定年退職ということで、20人ほどの小さな会社ではあるが、カレー株式会社の社長として全権を委任されることになった。

いつものように午前８時前にオフィスに着いた。今日も鬼尾が一番乗りである。静まり返ったオフィスでは、複合型のFAXがせっせと注文書をトレーに排出していた。

鬼尾は社長の椅子に座ってノートパソコンの電源を入れ、今日のスケジュールとタスクリストを見た。朝一番に一日をシミュレーションする、これが鬼尾の20年の日課である。

ふと目を書類箱に向けると、先週ネットで注文しておいた『オニオン・リーダーシップ』という本が届いているのを見つけた。そして、自身のリーダーシップについて思いを巡らせた。

「そもそも、なぜ自分はリーダーになったのだろう。学校の成績は悪くなかったし、戦略を練ったりするのは好きだった。ただ、みなの先頭に立ってチームを率いるのは昔から得意ではなかったように思う。中学までは野球部に所属していた。レギュラーでセカンドを守っていた。チームは弱かったが、チームワークは良かった。今でも連絡を取り合っている良い仲間たちだ。一勝でも多く勝ちたいと、みんなで日が暮れるまで白いボールを追いかけていたあの頃はシンプルで良かった。」

野球部のメンバーの顔が浮かんできて懐かしく思い出され、鬼尾の顔は少しゆるんだ。しかし、この社長の椅子に座っていることを思い出し、いつもの険しい顔に戻った。鬼尾は自問する。

「私は今日どのようなリーダーであればよいのだろう」。

小包を開け、中のビニールの包装を丁寧にはずして本を取り出した。まだ一度も開かれていない新しい本は、印刷したてのインクの匂いがした。鬼尾はぱらぱらと本を最後のページまでめくって重みを確かめてから、最初のページに戻って読み始めた。

はじめ鬼尾は、人はみなオニオンであると言われても、ピンとこなかった。自分に皮があるなんて考えもしなかったし、これまでその皮をつけたまま生きてきたと言われてもすんなりと受け入れることができなかった。しかし鬼尾は、自分が持っているオニオンの皮のいくつかを見つけた。まず、鬼尾には人と話す時、いつも理解されないという気持ちがあった。そして、もしかすると人を怖いと思っていたのかもしれないと気づいた。人となるべく関わらないようにするために、いつも理解されないという理由で正当化してきたのかもしれない。

また、MBAをとってからというもの、「経営の判断については私が正しい」と頭の中で声がしているのかもしれないと気づいた。そうして人の話を聞いていなかったのかもしれない。経営者であるという立場からくるプレッシャーにより、つい数字のことばかり言っていたことに気が付いた。

鬼尾は本を読み終えた。鬼尾は自分がオニオンであることに気づいた。

そして、鬼尾が次に考えたのは、紫マネジャーのことだった。

鬼尾は、紫マネジャーとは話が通じないと思っていた。紫マネジャーは、この業界で長年営業一筋、叩き上げの人物である。彼には、この業界のことは誰よりも知っているという自負がある。歳は50代半ばで、定年までもうすぐという年齢ではあるが、このまま惰性でやりすごすほど残り時間は短くない。鬼尾はこれまで、自分より10歳も年上の部下を持ったことはなかった。就任するとすぐ、鬼尾は紫マネジャーと一対一で話をした。紫マネジャーは、自分はこれまでお世話になったこの業界のために、後輩を育てることに尽力したいと言った。鬼尾はその言葉を聞いて、彼に任せておけば大丈夫だろうと思った。

「それでは、営業のことはお任せします」

この時鬼尾は、この組織は安泰だと思い、安心したのだった。しかし、パフォーマンスについてはあまり芳しくなかった。紫マネジャーは新しいことを試すことに消極的であったし、彼の部下であるじゃが田、仁野、牛川ら３人の紫マネジャーに対する評価は低かった。みな口をそろえて、紫マネジャーはリーダーシップを発揮していないと言うのである。上司とは、みなから文句を言われるものだ、と思いながらも、なぜ後輩を育てようと思っているにもかかわらず、誰も彼を評価しないのだろうと、鬼尾は不思議で仕方なかった。

次に考えたのは、営業のじゃが田のことだった。自分より10歳ほど若いじゃが田のことを、鬼尾は10年前の自分を見るような気持ちで見ていた。組織の中での立ち回りが下手で、空回りもするのだが、根は悪くない。努力にむらがあるものの、お客から好かれるタイプだ。鬼尾はこれから彼をどう育てれば良いだろうと考えていた。できれば自分のように、早く経営者を目指せる経験をさせてやりたい。しかし、この前の面談でじゃが田が、自分の今後のキャリアについて不安があると言っていたのが記憶に残っていた。

「自分には目指すロールモデルがいないんですよ」と彼は言った。じゃが田について紫マネジャーと話をすると、彼は、最近の若い奴は……、自分が若い頃は……、と言うのが常だった。じゃが田が配属されてきた時、紫マネジャーは、彼は営業に向かないと言った。そして、彼の成績が上がらないことについて、紫マネジャーはじゃが田個人の資質に問題があると考えているようだった。

事務の仁野じん子は、この仕事について３年になる。彼女はとにかく頭が切れ、仕事が早かった。しかし、なぜか自分の内に閉じこもり、孤立しているように見えた。彼女は普段、業務以外のことはほとんど話さず、みんなでお昼ごはんに行こうと誘っても来なかった。彼女は与えられたタスクを日々淡々とこなしていた。彼女の業務は正確だったし、態度も良好で、特別問題になるような行動もなかった。しかし、彼女が会議で発言することはほぼなかった。「プライベートと仕事は分けています。仕事はビジネスライクです」。それが彼女の口癖だった。

若い営業の牛川は小学校から大学までサッカーをやっていたという、見るからに体育会系の男だ。身長は180センチ近くあり、体も声も大きかった。入社から１年で、まだまだ青いのだが、いつも元気があり、精神的にもタフに見える。そんな彼も、親と子ほど歳の離れた紫マネジャーの前ではおとなしかった。鬼尾は以前彼に将来の夢を聞いたことがあった。「今はこれといって夢はありません。自分にはそれほど出世欲はないし、お金も食べていけるだけあれば、それでいいです。結果を出すために必死に残業なんかするより、毎日定時で帰るほうが自分のライフスタイルに合っています。同世代にはそういう考えの人は結構多いと思います。今はそういう時代です」。今はそういう時代、というのが彼の口癖だった。

鬼尾は気づいた。「私は現実から逃げていたのかもしれない」。鬼尾が紫マネジャーに「お任せします」と言ったのは、心のどこかに「私は責任をとりたくない」という気持ちがあったのではないか。そう思うようになると、これまで歩んできた自分の人生も、なぜか他人の人生を生きてきたかのような感覚があった。今までそんなふうに生きてきたのかもしれないと思うと、背筋が寒くなった。会社の成績が上がらないのも景気のせいにしていたのかもしれない。最近新聞を読むと、景気が悪いという記事ばかり気になって、自然とそこに目がいくようになっていた。「私は会社が思うように伸びないことを景気のせいにして、自分は悪くないと自分を正当化していたのかもしれない」。

もう一つ気づいたのは、「人が怖い」ということだった。自然と社員と距離を置いている自分の在り方を見つけた。表面的には話をよく聞く上司を演じてはいたが、頭の中では「その話はもう知っているよ」という声が聞こえていた。そして、話す時も、「こんな話をしても、ビジネススクールを出ていない人に分かるわけがない」という声が、頭の中で聞こえていたのに気づいたのである。知らない間に、人を見下すような態度が出ていたのかもしれない。話す相手に自分がそのように見えていたのだとすると、自分が目指してきたリーダー像とのギャップに言葉を失うほどの衝撃を受けた。

しばらく呆然としてふと我に返り腕時計を見ると、8時45分になっていた。牛川が入ってきた。彼はイヤホンをつけたまま自分の席についた。「おはよう、牛川さん」と言うと、彼はまるでお地蔵様に初めて話しかけられたかのようにびっくりした顔をしてこちらを見、あわててイヤホンをはずすと、「おはようございます」と少し早口で言った。そして、すぐに目線をモニターの画面に戻した。普段鬼尾はこの時間、経済新聞を読んでいるので、集中していると社員の出社に気づかないこともあった。

じゃが田と仁野が一緒に入ってきた。おそらくエレベーターで一緒になったのだろう。じゃが田は眠そうな顔をしているように見えた。仁野は昔からあまり表情に出ないタイプだ。２人は私と目が合うと、あらかじめ決められているセリフであるかのように、抑揚のない小さな声で「おはようございます」とあいさつをした。９時ぎりぎりになって紫マネジャーが入ってきた。３人は顔も上げず、「おはようございます」と形式的に言った。鬼尾はその様子を眺めて思った。

「彼らもオニオンの皮をかぶっている」

先ほど読んだ本の影響か。そう思うと、ここにいる全員が茶色いオニオンに見えてきた。それはいささか滑稽で、思わず微笑んでしまいそうになったが、鬼尾は表情に出ないようにそのイメージを心の奥に沈めた。

リーダーとは存在である、とその本は語っていた。鬼尾は自分の存在はどんなイメージでみんなに見えているのだろうと考えてみた。「話しやすくて気さくな、信頼される上司」、それが鬼尾の理想の上司の姿であった。しかし実際は、「話かけにくい気難しい上司」と見えているのではないか。鬼尾にとって自分は、ただここにいるだけの自分だった。自分の範囲を広げ、この組織全体を自分だと考えたことなどなかった。このように見方を変えると、今組織が抱えている問題が自分の問題に思えてきた。今まで組織の問題は他人事であったのかもしれない。いや、きっとそうだ。

鬼尾は思った。「この会社を変えてみたい。全員が生き生きと自分の本当の姿をさらけ出し、全員がリーダーシップを発揮するんだ。みなが同じ夢を追いかけ、そして、前代未聞の最高のパフォーマンスを上げる。そういう組織を作ってみたい。今からは自分の意志でこの挑戦を選択しよう」。そう思うと勇気が湧いてくる思いがした。

「少しお時間はありますか？」

鬼尾は紫マネジャーを会議室に呼んだ。思い立ったらすぐに行動する、これは鬼尾がいつも心がけていることである。8人ほどが入れる会議室で、奥の席に鬼尾は座った。紫マネジャーは、鬼尾の後からついてきて一番入り口に近い席に座った。そして、いつも使っている水色のノートを開いて、胸ポケットからボールペンを抜き、頭をカチッと押して芯を出した。

「いや、特に何ということではないのですが」

鬼尾がそう言うと、紫マネジャーはびっくりしたような顔をしてノートから目を離してこちらを見た。まず鬼尾は、紫が先週の週末どのように過ごしたのかを聞いた。このような質問も今まであまりしたことがなかった。紫は「長男が大学に合格し、引っ越しの準備で忙しくしていました」と言った。紫は子供の話になると、いつも顔が柔らかくなる。子供への愛情が伝わってくる。

「話というのは私の話なのです。少し聞いてもらえますか？」

そう前置きをしてから、鬼尾は自分が今まで任せることで自分は責任から逃れたいという気持ちがあったこと、話しにくいと感じていたことを素直に、そして率直に話した。紫マネジャーはメモをとらずに黙って聞いていた。
そして、「本当はあなたと一緒にみんなが生き生きと働ける会社を作りたいと思っていました。力になってもらえませんか？」

そう言うと、紫マネジャーの目の奥が一瞬光ったように見えた。しかし、すぐにまたいつもの硬い表情に戻った。

「お話は分かりました。もちろんできる限り協力します。これまでもそうしてきたつもりです」

紫はそう言うと、ノートを閉じて会議室を出て行った。

鬼尾は次にじゃが田を会議室に呼んだ。鬼尾は紫の時と同じように少し雑談をしてから本題に入った。自分はこれまであなたに壁を作っていたのかもしれない。これからはもっと腹を割って話をしてほしい、キャリアのことについても相談してほしいと伝えた。じゃが田は「そうだったんですか。鬼尾さんでもそんなふうに思うことがあるなんて知りませんでした。率直に話してくださりありがとうございました」と相変わらず眠そうな顔で言った。

じゃが田に呼ばれて仁野じん子は行儀よく会議室のドアを開けて入ってきた。仁野は鬼尾の話を背筋を伸ばして微動だにせず静かに聞いていた。一通り鬼尾の話が終わると「私はそんなふうに考えたことはありませんでした。私には鬼尾さんはとても話しやすい方です。ただ立場が違うので話しにくいことがあってもそれはしかたないことです」ときっぱりと言った。

牛川は少し高揚した面持ちで部屋に入ってきた。彼はメモもとらずに一生懸命一字一句もらさないというように鬼尾の顔を直視して話を聞いていた。「そうですか。いつもお忙しそうにされているので、私なんかのためにお時間をとってくださって嬉しかったです。いつも邪魔してはご迷惑かと思って話しかけずにいました」と言った。

全員との面談を終えて、鬼尾は自分がどのように見えているかを考えてみた。

若いエリート社長。いつも忙しそう。近寄りにくい。彼らの話を総合するとこんなところだろう。それでも鬼尾はまだ彼らがコミュニケーションのチャネルを十分に開いていないと思った。今までの状況から考えると無理もない。コミュニケーションを構築することに時間をかけよう。鬼尾はコミュニケーションにリーダーシップが宿るのであれば、自分が発揮してきたリーダーシップはどれほどだったのだろうと考えた。それでも鬼尾にはみなの反応に妙に納得するものがあった。鬼尾は自分がどのように見えているのか、客観的にフィードバックをもらえたことで本来の自分とのギャップを認識することができたような気がした。

鬼尾はこれから週に一度、全員と対話をすることを約束した。

「第一段階としては良いだろう」

鬼尾はそれから1週間かけて『オニオン・リーダーシップ』を読み、すべての演習をこなしていった。鬼尾はオニオン・リーダーとして組織作りを始めた。

それから鬼尾はみんなとの対話で相手の話を完全に聞くことに努めた。自分が何か言いたくなってもまずは相手にきちんと聞いてもらえたという経験を与えるように、あやふやな部分があれば、自分がきちんとその状況を再現できているかを繰り返し確認をした。鬼尾はその会話の中で彼らのオニオンの皮を見つけていった。

みんなは最初、この対話は私の思い付きで、すぐに収まるだろうと思っていたようだ。しかし私が粘り強く対話を続ける姿勢を見て、少しずつではあるが彼らも自分のことを話すようになってきた。わが社のコミュニケーションのチャネルは開き始めたのである。

紫マネジャーは鬼尾に対して「まだ若いし現場を知らない。このビジネスを本気でやるならもっと現場に行って汗をかいて顧客の生の声を聞くべきだ」というオニオンの皮に気が付いた。そして、鬼尾に対して素直にそう言わなかったのは、もう自分は必要とされていないのではないかとすっかり冷めていた自分がいたからかもしれないと気づいた。

そして鬼尾が「私はまだまだ経験が足りないところがあるので助けてほしい。一生懸命に組織を作っていきたい」と真剣に言うので「よし、そこまで言うなら一肌脱いでやろうか」という気持ちが湧いてきた。

じゃが田は漠然と将来に対して不安を感じていた。自分はこの仕事に向いていないんじゃないかと考えていた。人の倍はやろうと遅くまで残業をしても目に見えて成績はあがらなかった。

妻のメイコからは「いつも帰りが遅いから、たまには子供の寝る前に帰ってきてよ」と言われるたびに「ああ」と答えるが、「俺だって早く帰れるものなら帰りたいよ」と頭の中で声がする。そして、それ以上何も言えなくなって黙っていた。じゃが田のモチベーションははっきりした未来の目指す場所が定まらないことで低いままだった。

鬼尾との対話を続ける中で家庭の話も出た。じゃが田は今までの自分なら決して誰にも言わなかったが、この際素直に自分の不安を打ち明けてみることにした。鬼尾はその話をしっかりと聞いてくれた。じゃが田は鬼尾と話していると、不安だったのは自分が未来から目をそらしていたためではないだろうかと気が付いた。それは「人から馬鹿にされたくない」というオニオンの皮に翻弄されていただけなのかもしれないと気が付いてから、これまで悩んでいたことが馬鹿らしく思えるようになってきた。

じゃが田は妻のメイコにも鬼尾の話や自分は今までこんなふうに考えていたという話をするようになった。メイコもじゃが田が頑張っていることを知り、帰りが遅くなっても以前のように文句を言うのではなく、労《いたわ》りの言葉をかけてくれるようになった。

仁野は自分は女性だからいくら努力してもどうせ認められないという思いがあることに気づいた。仁野の女性の先輩たちが出産をして育児休業から戻ってくると昇給や出世コースから外れてしまっているのを見ていた。鬼尾と話していく中で、仁野は自分がそれを言い訳にして、本当は全力で挑戦することから逃げていたのかもしれないと思うようになった。仁野は自分を制限していたのは自分であったことに気が付いた。

牛川は鬼尾と話をしていくにつれて、これまで牛川が考えていたような世代間のギャップがあるように思えなくなった。そして、世代が違うから分かるはずがないという理由で自ら壁を作っていたことに気が付いた。むしろ世代間の違いというのは自分の経験が足りない部分であり、将来のキャリアのためにも鬼尾や紫からたくさん学びたいと思うようになった。

この鬼尾との対話で組織のみんなは少しずつ本当の自分はどういう自分なのかを探求していった。

鬼尾は社内ルールとして、約束の完全な取り扱いを規定した。

それは基本的に約束をしたら、守ること。約束を守れないと分かったらその時点で約束した相手に連絡すること。約束を守れたのであれば、次の約束をし、守れない場合、遅れる場合はその責任をとることをルールとした。もしこの約束の規定に反することがあれば、社内全員に向けてそれを表明すること。これを継続してカウントしていくことを宣言した。この規定を採用してから社内に緊張が生まれた。最初のうちは約束が守られないことが多かったが、すぐに数は減っていった。約束を守らずそのまま放置しみんなに表明するよりも、約束を守ることや約束を回復するほうがよっぽど手間がかからないからである。

ある日の会議で、仁野が自分は期日通りに出荷の準備を整えたのだが、牛川の確認が遅れたために客先に商品の到着が遅れそうだと紫マネジャーに不満を言っているのを耳にした。鬼尾は牛川を呼び、クライアント先であるライスコーポレーションに連絡をし、弊社の都合で商品の到着が遅れる可能性があること、遅れる場合はその責任を弊社でとらせていただくことを伝えるように指示した。そして、全員が納期を守るためにあきらめずに今できる限りのことをするように指示した。

結局、仁野と牛川の尽力でなんとかぎりぎりで納期に間に合わせることができた。

これを聞いて、鬼尾はみんなの前で仁野と牛川をこのように讃えた。「仁野さんと牛川さんの頑張りでライスコーポレーション様と約束した納期を守ることができました。おかげでライスコーポレーション様の案件が遅れずに済んだのです。困難な状況でもあきらめず自分が主体となって全力で納期を守ったことを心から承認します。素晴らしい貢献でした」。

２人が照れ臭そうに笑った顔が印象的だった。そして、どんどん笑顔が感染し、社員全員が拍手を送った。

後日談ではあるが、ライスコーポレーションの久米社長より電話をいただいた。「この件は弊社にとってとても大切な案件でしてね。入荷が遅れそうと聞いてとても心配したのですが、御社はとにかく間に合わせるために全力で動いてくれたし、なにより遅れたらその責任をとりますと言ってきた。一体どういう教育をされているのか教えてほしいです。今後ともお付き合いよろしくお願いいたします。まずはお礼まで」。

この頃から今まで静かだったオフィスが熱気を帯び始めた。みんなに、鬼尾は一人一人がリーダーになる可能性を一生懸命つないでくれようとしている、応援してくれていると見えていた。そして、このチームでやれば何でもできるのではないかという空気が漂っていた。

それから３か月ほどが経ったある日、鬼尾は半日の予定で全員を集め全社会議を開いた。

鬼尾はまず相手の世界を聞くことから始めた。ここは何を言っても安全な場所であることをまず前置きしたうえで、「今うまくいっていないもので私に知ってもらいたいことは何か？」と尋ねた。現状の不満について１人ずつ聞いていった。

- ある従業員は、自分は頑張ったが正当に評価されなかったと話した
- 技術部は営業部がどれだけ自分たちのことしか考えていないかを話した
- 営業部もこれに応戦した
- マネジャーが明確な方針を示してくれない
- 給与の格差が大きい

みながそれぞれ不満を口にするたびにこの会議は紛糾していった。５時間が経過して、ついに誰も手を挙げなくなった。すると、急にある従業員が立ち上がって言った。

「鬼尾さん、あなたが本気でこの会社を改革すると約束するなら、私はそれに全力で協力したいと思っています」

鬼尾はすぐに力強く「約束しよう」と言った。

それから鬼尾は彼らが今日この場で新しい未来の可能性を創造することに全員がコミットできるかを聞いた。これには全員賛成だった。

鬼尾は会話を未来にシフトさせた。今まで話に出た良いこと、悪いこともすべて会議室の大きなモニターに映し出されていた。鬼尾はこう問いかけた。

「もしみんなが一緒に新しい未来を見出すとしたら、私たちは

どのような機会を得ることができるでしょうか？」

この質問にもさまざまな意見が飛び交った。鬼尾は新しい意見が出るたびにそれをホワイトボードに書いていき、それに異論があるかを聞いて、異論があると手を挙げたものは別の提案をしていった。そして、ついに誰からも異論が出なくなった時、そこにあったのは全員の重要な未来であった。

カレー株式会社の未来　2020

- 世界から注目される新しいことにチャレンジし価値を生み出す会社
- 全員参加で尊敬できる仲間と最高のチームワークで仕事ができる会社
- 世界で通用するビジネスパーソンになれる会社
- 努力が報われる評価基準が明確な会社

われわれの目指す未来は上記である。
私はこの新しい未来のためにコミットする。

鬼尾　悟

＿＿＿＿＿＿

＿＿＿＿＿＿

最後に鬼尾はドアに紙を掲げこう言った。

「私は私とカレー株式会社のこの未来を実現することにコミットします。しかし私だけでも会社だけでもできない。みなさんのコミットメントが一致していることが必要です。もしこれらにコミットするなら、あの紙の『私はこの新しい未来のためにコミットする』と書いてある下に自分の名前を書いてください」

20人のうち１人を除いて全員サインした。この１人も後にこの活動に参加することになる。

鬼尾はこの行動が引き起こす象徴の力を知っていた。それまでみんなから見て鬼尾は普通の社長であった。国立大学出身のエリート商社マンであった。でも今はみんなが言いたいことを直接聞いたことを知っているし、他の人の視点で現状の問題を見たことを知っている。社長という立場からではなく、１人の人間としてみんなと共に時間を過ごしたことを知っている。みんなには鬼尾が同僚の１人として見えていた。みんなの行動が拒否と無関心からオープンで理解のある態度に変わったのである。

それからカレー株式会社は自分で動き出した。それぞれの部がこの創った未来からこの行動計画を作った。そしてそれは、全員が自分の力を最大限に発揮して、それぞれの個性を生かした仕事との向き合い方と行動を生んでいった。

紫マネジャーはこれまでの自分の経験を伝えようと社内で勉強会を始めた。それが好評だったので今度は社外でもやるようになった。お客様からの反響も大きく、相談から受注するケースが増えている。

じゃが田は国内にとどまらず海外への事業開拓を提案し、今では海外事業の責任者となっている。英語は苦手だと言っていた以前の彼からは想像できない姿である。ほとんど日本にいないから、今日もまたアジアのどこかの国にいて充実した汗をかいていることだろう。

仁野は持ち前の能力と強烈なリーダーシップを発揮してバックオフィス全体を統括するマネジャーとなった。会社で初の女性の取締役になりたいというのが今の彼女の夢である。

牛川は自分ももっとビジネスを学びたいと、MBAを受験するために暇を見つけては一生懸命に英語を勉強している。鬼尾はこの全社会議を年に一回実施し、毎月行動計画をフォローしていった。半年足らずで、これまでのパフォーマンスとの違いが見えるようになった。鬼尾は、リアルタイムで起きている現状をみんなで共有するようにした。結果が出ると組織はさらに加速していった。

この日鬼尾は、社長に就任して４年目を迎えた。あの全社会議から早いもので２年３か月が経とうとしていた。不景気にもかかわらずカレー株式会社は業界平均よりも３倍のパフォーマンスを出し、グループ全体からも一目置かれる成長を遂げていた。鬼尾はいつものように朝の６時に家を出た。この習慣だけは周りがどれだけ変わろうとも変わっていない。オフィスに着くと牛川がすでに出社していた。

「鬼尾さん、おはようございます！　相変わらず早いですね」。牛川も相変わらずの大きな声だ。誰よりも早く出社する、私が昔先輩から教わったことを今は私の後輩が実践している。「おはよう。今日も絶好調ですね」と言うと、牛川は大きくうなずいて笑顔を見せた。

　鬼尾は席に座る。そして、これまで歩んできた3年を回想した。
　今思えば、あの会議だ。あの会議の後から、私たちは野球帽をかぶり、それぞれの持ち場を守りつつ、チームが同じ夢を目指して一丸となって、全員でボールを追いかけたのだ。

「結局リーダーシップとは何なのだろう？」

　これだ、と一言で言い表すことは難しいように思う。存在、自分の範囲、立つ場所、コミュニケーション、ニセモノを手放す（本物の自分になる）こと、未来、宣言、調和、それぞれの場面が浮かんでは消えていく。どれもまだ改善の余地があると思える。

　鬼尾は『オニオン・リーダーシップ』を手にとって開いてみた。幾度となく読み返したこの本は、ページをめくるところは黒くなり角はつぶれている。幾分か軽くなった気がするが、まあ、気のせいだ。そして、静かに本を閉じた。

　リーダーシップに終わりはない。今日もまた彼の新しい探求が始まる。

第7章
マスターへの道
――きつね色になるまで炒める

リーダーシップに終わりはありません。ここからはオニオン・リーダーのマスターへの道を見ていきましょう。

パターン認識

ベテランのお医者さんは患者さんを見た時に、瞬時に最適な診断を下せます。彼らには彼らにしか見えないものがあります。それは特別な用語や薬の原則を知っているだけではなく、経験則から見えるものがあるからです。例えば、右下腹部に痛みがある高校生がやってきました。ベテランのお医者さんは状況を見て瞬時にまず盲腸を疑います。

名医のテクニック　パターン認識の例

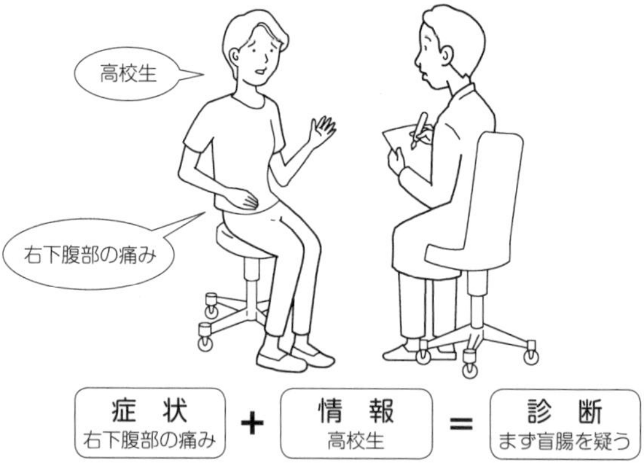

このようなベテランの経験則は一度体得してしまえば、それ以降は考えたりしません。これは自転車に一度乗れるようになれば乗れなくなることはないのと同じです。ある意味でオニオンの皮の機能とよく似ています。つまりオニオンの皮はあなたが新しく置き換えることができるのです。そして、一度オニオンの皮が置き換えられたなら、現実は今まで見えていたことが

違うように見え、行動を変えることができます。

例えば、牛肉について新しい知識を身に付けたとします。今までであなたは、言葉は聞いていてもどこの部位がヒレなのかサーロインなのか知りませんでした。

サーロイン：肋骨と骨盤の間にある、背骨の両側の肉
ヒレ：サーロインの一部であり、最も動かさない筋肉のため脂肪が少なく柔らかい

この知識を得ると、もし目の前に牛がいたらこのあたりがサーロインかと認識することができるようになります。あなたは新しい専門用語と既に知っている用語との関係性を理解します。

つまり知識には、新しく世界を理解するための基準が含まれています。そして、この知識を得た瞬間にあなたは新しい世界の見え方を体得します。

リーダーシップのベテランになるには、お医者さんと同じよ

うに専門用語による新しい見え方を理解し体得する必要があります。そして、その新しく手に入れたものの見え方を通して物事を見ていきます。

組織を診断する

あなたが組織のベテランのお医者さんだったとします。組織は硬直して動けなくなっているとしましょう。あなたがまず疑うのはリーダーシップの問題です。そこから、この状況が組織にどのように見えているか、その組織ではどのようなオニオンの皮が共有されているかを調べます。

リーダーシップのAからH

あなたの頭の中で瞬時に考えるのはリーダーシップのAからHです。えっとなんだっただろうかと思い出せないようではベテランとはいえません。ですから、このリーダーシップのAからHは知識として覚え、いつでも引き出せるようにしておくことです。私はドレミの歌のメロディーで覚えています。

AはAreaのA	自分の範囲
BはBaseのB	立つ場所
CはCommunication	コミュニケーション
DはDeclaration	宣言
EはExistence	存在
FはFuture	未来を創る
GはGive up on fake-self	ニセモノの自分を手放す
HはHarmony	調和

オニオン・リーダーシップを実践する

オニオン・リーダーシップを実践するうえで一番大切なことは毎日自転車に乗るということです。毎日実践することで、より早くこげるようになり、より安定して走れるようになります。実践とは実際に自分の目、耳、手を動かしてやってみることです。

ゲームを設定する

未来を創るのと同じように、新しいゲームを始めましょう。そして、これもあなたが考え出したゲームであり、プレイヤーはあなた自身です。ゲームは簡単ではつまらないし、すぐに飽きてしまうので難しさとなんらかの障害が必要です。例えば、今月は何人の人と話そうというように自分で設定したゲームをプレイしましょう。つまりこのゲームは自分自身と闘うものです。

経験とコミットメントを分ける

私たちは子供の時に「おかしはみんなで分けましょう」と教わりました。しかし経験とコミットメントについて、他の人に分けることは教わりませんでした。これはこの本を読んで自分にどのような影響があったのか、何が見えていなくて、今は何が見えるようになったのかという経験を気前よくシェアしましょう。シェアすることで相手もそのゲームに参加してくれるかもしれません。切磋琢磨する仲間はとても大切です。周りの人を巻き込みましょう。

この本をコーチにする

コーチはスタンドで見てもいないし、ゲームもプレイしません。コーチの役目はあなたに現実がどのように見えているかをフィードバックすることです。そして、必要な情報を与え、今何をすべきかを伝えます。この本をあなたのコーチとしてそばに置いてください。この本は「あなたの未来を書き換え、今行動を変えること」にいつでも助言を与えてくれます。

自分の人生のリーダーとなる

人は基本的に新しいアイデアを否定するものです。あなたが間違った選択をして、そのことで何か良くないことが起きようとも、それはあなたが作ったゲームにすぎません。そして、ゲームに負けたとしても、勝つためにまた新しいゲームを始めれば良いのです。情熱をもって恐れることなく、自分の人生のリーダーになって生きていきましょう。

マクドナルドにおいて個人の成功物語とは、決して教育ではない。信念だ。

やり遂げろ——この世界で継続ほど価値のあるものはない。

才能は違う——才能があっても失敗している人はたくさんいる。

天才も違う。恵まれなかった天才はことわざになるほどこの世にいる。

教育も違う。世界には教育を受けた落伍者があふれている。

信念と継続だけが全能である。

（レイ・クロック他『成功はゴミ箱の中に』2007年）

人生の〈見え方〉を発見すること

人生をマスターした人がいたとします。彼らが彼ら自身の人生を見た時、そこには彼らが生きた自然な結果として、人生の意味を見出すことができるでしょう。つまり、人生をマスターすることは人生の〈見え方〉を発見することです。そして、あなたの日々の選択はあなたの自己表現です。あなたは常に自由な存在であるので、どの未来を選ぶかは自分の選択にあります。

あなたの人生は100年だと考えて、もし今あなたが30歳で日々苦労しながら夢に向かって生きているとすれば、「この経験は後の成功に必要なのだ」という人生の見え方を発見することができ人生をマスターすることに近づきます。人生をマスターすることは、このような意味を日々探求し、発見し続けることです。

まとめ演習——オニオン・リーダーの成分表を作ろう

マスターへの道としてオニオン・リーダーの法則、オニオン・リーダーシップの法則から、それぞれの指数を計算してみましょう。この演習からあなたのリーダー像、リーダーシップのスタイルが見えてきます。さらにレーダーチャートを見ると改善する項目が視覚化できます。

オニオン・リーダー指数		
E存在	A範囲	B立つ場所
リーダーとしての イメージの強さ 強い　10	自分の範囲の規定 大きい　5 自分だけ　0	自ら人生の 選択をした　5 選択をしていない　0

●オニオン・リーダーの法則より

オニオン・リーダー＝E×（A＋B）

オニオン・リーダー指数

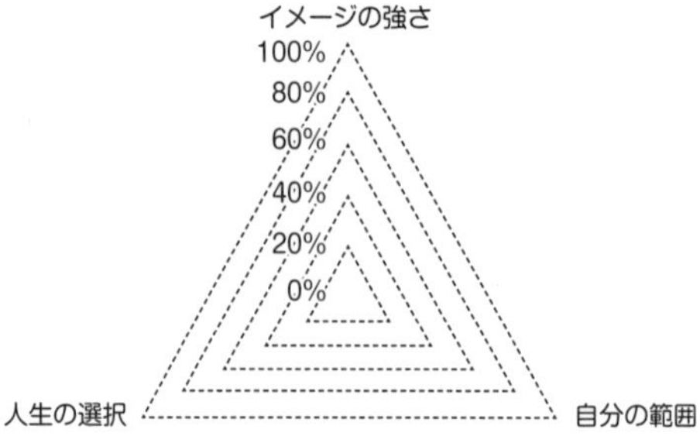

実際にこの演習を行った方の結果は以下のようになりました。

リーダーとしての「イメージの強さ」３点（10点中）、自分だけが自分の範囲であるので０点（５点中）、自らの人生の選択については５点（５点中）。よって計算結果は以下となりました。

３×（０＋５）＝15点（100点満点）

オニオン・リーダー指数

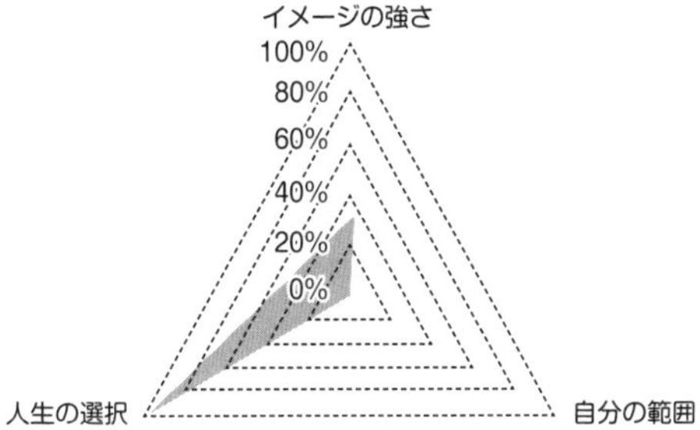

この演習で気が付いたこと

自分では、自身のリーダーのイメージが弱いと思っているため、「周りの人にとって自分の存在は弱い」と思っていましたが、それは自分に自信がなく過小評価しているためであったと気が付きました。また、これまでは自己の範囲は自分だけだったと認識することができました。

オニオン・リーダーシップ指数				
Cコミュニケーション	G本物の自分	H調和	F未来	D宣言
聞く　5 承認　3 共有の場　2	さらけ出し すべて　1 まったく　0	約束を守る すべて　1 まったく　0	ある　3 ない　0	ある　2 ない　0

オニオン・リーダーシップ指数

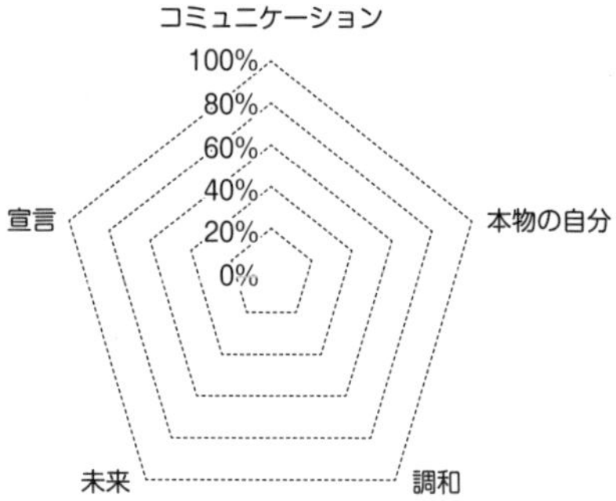

●オニオン・リーダーシップ指数（単位はオニオン・リーダーシップ）

オニオン・リーダーシップ＝C×（G＋H）×（F＋D）

「コミュニケーション」の「聞く」は2点、承認は2点、「共有の場」はあるので2点（10点中）で、「本物の自分」は0.5点（1点中)、「約束を守る」も0.5点（1点中)、「未来」の目標はあるので3点（3点中)、「宣言」はしていないので0点（2点中）となり、計算結果は以下となりました。

$(2+2+2)\times(0.5+0.5)\times(3+0)=18$点（100点満点）

オニオン・リーダーシップ指数

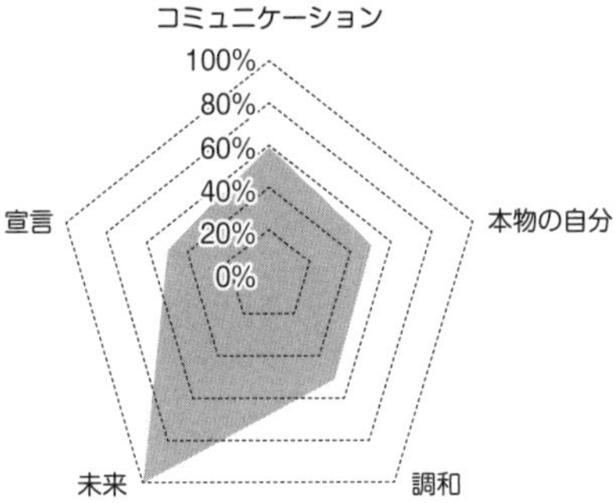

この演習で気が付いたこと

「恥ずかしいので自分をさらけ出したくないという自分」に気が付きました。未来についてフレキシブルにしておきたいというのは言い訳であって、なるべく約束をしないようにしていました。「本心では、自分の負けを認めたくないので、不戦勝を選ぼうとする考えから宣言をしたくない自分」に気が付きました。

あなたもこの成分表を使って、これまで実践してきたオニオン・リーダーとオニオン・リーダーシップの法則を振り返ってみましょう。点数よりも、この部分はまだまだ改善の余地がありそうだという分析のツールとして定期的に使ってみてください。前回の自分と比べてどうだったかを記録しておくと、時間の経過とともに自分がどう変わったかを知ることができます。また、チーム全員で実践して他者へフィードバックするのも効果的です。

おわりに

この本を執筆していた2020年３月から７月は、世界的に新型コロナウイルスの影響で世界が一瞬で変わってしまった時でした。きっとこの本を読んだみなさんにも、忘れられない年となったことでしょう。

リーダーシップは長い間研究されてきたテーマであり、私はこれまで経営者の自伝をたくさん読んできました。そして、「これは名言だ」と思うところを書き出しては、日々実践しようと心がけてきました。最初は良い経営者の共通点を見出そうとして分析していたのですが、そのうち収拾がつかなくなりました。なぜなら良い経営者にパターンというものはなく、多種多様だったからです。せめて何かのフレームワークをベースに語れないだろうか？　それがオニオン・リーダーシップを考えた出発点です。

オニオン・リーダーシップのベースの理論は、ハーバード・ビジネススクールのマイケル・ジェンセン教授とワーナー・エアハード氏らによるオントロジー・リーダーシップ（Ontology Leadership）の論文です。

オントロジーとは聞きなれない言葉ですが、存在論という哲学で、存在についての学問です。オニオン・リーダーシップのオニオンは実は最初はONtology Illustrates Our Natureの頭文字をとってONIONとしていました。その後、オントロジーという言葉が覚えにくいのでオントロジーはなくなりオニオンだけが残りました。それに今ハーバード・ビジネススクールで教えられているAuthentic Leadershipなどリーダーシップの最新の理論と組み合わせ、リーダーとリーダーシップの法則としての要素をアルファベットのAからHに割り当てて、オニオン・リーダーシップの基礎理論は完成しました。

オントロジーはドイツのマルティン・ハイデッガーが有名で、彼は著書『ヒューマニズムについて』の中で「言葉は存在の家である（language is the house of being）」と書いています。私はこのbeingという単語は存在という意味ではなく、存在の在り方という意味がよりしっくりくるのではと思っています。オニオン・リーダーシップで紹介したオニオンの皮、ニセモノの自分、自分の立つ場所、未来など、この本で扱われたリーダーシップについての要素はすべて言葉で作られたものです。

私にオントロジーがとても響いたのは、私の生い立ちにその理由があります。私は中学２年生の時にジョン・レノンの音楽に出会い、彼に憧れて音楽を始めました。彼のように音楽なら自分が死んだ後も自分が生きていた証を何か残せるのではないか。そんなことを夢見ていました。この自分が死んだ後から考えて今を精一杯生きることは、まさにオントロジーの理論であり、自らの決断によって人生の意味を見出し積極的に夢を現実化させることを選択してきたように思います。もし明日死んでしまうとしたら、今私は何をするだろう、何を選ぶだろう？　この問いに向き合いながら生きることは、私たちが常に自由な存在であることを教えてくれます。

18歳の時、もし大学に受からなければ音楽を勉強しにバークリー音楽院に行こうと夢見ていました。結果として、大学に受かって渡米の夢は叶わなかったのですが、2017年にハーバード・ビジネススクールに留学した時、18歳から数えて22年後に、同じくボストンにあるバークリー音楽院を訪れることができました。どちらの道を選んでも同じところにたどり着いたのだと思うと、人生は面白いものだと感じた瞬間でした。もしあの時音楽の道を選択していたら、私の人生はどうなっていたのでしょう。

この本は25年ぶりにジョン・レノンのアルバム『Imagine』をBGMにしながら執筆しました。不思議と高校生の時に聴いたアルバムは今なお新しく聴こえます。

音楽を作ることと本を書くこと、表現の仕方は違いますが、どんな形でも生きた証を残せたとしたら、あの時描いた私の夢は叶ったのです。

この本がみなさまの重要な未来、夢の実現に、少しでも役に立てれば、本当に嬉しく思います。

この本を世に出すためにたくさんの方々にご尽力いただきました。

この本を執筆するきっかけを作ってくれた良き友人である株

式会社新卒採用の代表取締役の後藤剛、さん、貴重な経営のご指導をいただいているVANTOグループの上野高稔さん、鈴木雅之さん、オニオン・リーダーシップの基礎理念のアイデア出しのお手伝をいいただいた遠藤薫さん、いつも気さくにリーダーシップのお話してくださるBNI東京千代田リージョンディレクターコンサルタントの荒木伸太郎さん、AMPに行く前からお世話になり、今回も快く推薦文を書いてくださったハーバード・ビジネス・スクール日本リサーチ・センター長の佐藤信雄さん、二つ返事で出版社を紹介してくださったヨウジヤマモトの村木剛さん、しなやかな日本語で出版のいろはと文章のご指導をいただいた中央公論新社の郡司典夫さん、みなさま本当にありがとうございました。

そして、「目指せ8万字」と私が書いた目標に「頑張れ〜」と日本の国旗を描いてくれた私の素晴らしい家族にも深く感謝を。

日本からもっと世界に貢献できるように、これからも世界の調和を目指してまいります。

中谷英峰

2020年8月2日

参考文献

稲盛和夫『アメーバ経営――ひとりひとりの社員が主役』日本経済新聞社、2006年

井上礼之『人の力を信じて世界へ――私の履歴書』日本経済新聞出版、2011年

ウェルチ、ジャック『わが経営』宮本喜一訳、日本経済新聞出版、2001年

ガスナーJr.、ルイス・V『巨象も踊る』山岡洋一、高遠裕子訳、2002年

クロック、レイ・A、ロバート・アンダーソン『成功はゴミ箱の中に：レイ・クロック自伝――世界一、億万長者を生んだ男』野地秩嘉監修・構成、野崎稚恵訳、プレジデント社、2007年

櫻田厚『いい仕事をしたいなら、家族を巻き込みなさい！』KADOKAWA、2014年

椎名武雄『外資と生きる：IBMとの半世紀――私の履歴書』日本経済新聞出版、2001年

ジェニーン、ハロルド、アルヴィン・モスコー『プロフェッショナル・マネジャー――わが実績の経営』田中融二訳、1985年

鈴木敏文『挑戦 我がロマン――私の履歴書』日本経済新聞出版、2008年

本田宗一郎『夢を力に――私の履歴書』日本経済新聞出版、2001年

松下幸之助『夢を育てる――私の履歴書』日本経済新聞社、1989年

三木谷浩史『成功のコンセプト』幻冬舎、2007年

柳井正『一勝九敗』新潮社、2003年

Bitner, Mary Jo, Bernard H. Booms and Mary Stanfield Tetreault. 1990. “The Service Encounter: Diagnosing Favorable and Unfavorable Incidents.” *Journal of Marketing*, Vol. 54, January, 1990, pp. 71-84.

Burton, Robert A. 2008. *On Being Certain: Believing You Are Right Even When You’re Not*. St. Martin’s Press, New York, NY, p. 5.

Chomsky, Noam. *Independent Thinking Comes Through Discovery*. Wise Channel. October 25th 2013. https://www.youtube.com/watch?v=0027IXxLj- 0

Erhard, Werner, Michael C. Jensen, Steve Zaffron and Jeri Echeverria, 2020. The

Course Materials for: "Being A Leader And The Effective Exercise Of Leadership: An Ontological / Phenomenological Model" January 10, 2020.

Kuhn, Thomas S. 2012. (originally published 1962). *The Structure of Scientific Revolutions*. Chicago: University of Chicago Press.

Gladwell, Malcolm. 2002. *The Tipping Point: How Little Things Can Make a Big Difference*. New York: Back Bay Books.

Haldane, J.B.S. 1963. "The Truth About Death." *Journal of Genetics*, Vol. 58

Szpunar, Karl K., Jason M. Watson and Kathleen B. McDermott. 2007. "Neural Substrates of Envisioning the Future." *Proceedings of the National Academy of Sciences*, Vol. 104, No. 2, Jan. 9, 2007.

Weingarten, Gene. "Pearls Before Breakfast." *The Washington Post*, April 8, 2007, Page W10. アーカイブ（2010年6月9日）- WebCite

読者へのご案内

オンラインで定期的にビジネススクール関連の記事や動画の配信をしております。また、オフラインによるイベントも開催しております。詳細および申し込みは以下のホームページをご覧ください。
http://stabird.com/

読者限定プレゼント

読者の方限定の特典として、リーダーシップの解説動画と実践演習のチェックリストをまとめたPDFを無償でプレゼントいたします。詳しくは読者プレゼントのページをご覧ください。
http://stabird.com/

中谷英峰（なかたに・えいほう）

1977年生まれ。横浜国立大学工学部物質工学科卒業後、2000年に株式会社図研入社。半導体エンジニアとしてシリコンバレー勤務。外資系企業にてアジア太平洋マネジャーを経て、現在、ベッカーエアーテクノ株式会社代表取締役。その他役員として、これまで2社1団体の共同設立に関わる。2014年にカナダ・マギル大学 MBA取得。2017年ハーバード・ビジネス・スクールのフラッグシップコースのAdvanced Management Program（AMP）を修了。ハーバード・ビジネス・スクール Executive Committee Member 監査役。

オニオン・リーダーシップ
——ハーバード・ビジネス・スクールの最前線《さいぜんせん》

2021年2月10日　初版発行

著　者　中《なか》谷《たに》英《えい》峰《ほう》

発行者　松田陽三

発行所　中央公論新社
〒100-8152　東京都千代田区大手町1-7-1
電話　販売 03-5299-1730　編集 03-5299-1740
URL http://www.chuko.co.jp/

印　刷　図書印刷
製　本　大口製本印刷

Published by CHUOKORON-SHINSHA, INC.
Printed in Japan　ISBN978-4-12-005383-2 C0076

定価はカバーに表示してあります。
落丁本・乱丁本はお手数ですが小社販売部宛にお送り下さい。
送料小社負担にてお取り替えいたします。